구름 뒤에 태양

홍정식 지음

구름 뒤에 태양

발 행 | 2023년 11월 28일
저 자 | 홍정식
펴낸이 | 한건희
펴낸곳 | 주식회사 부크크
출판사등록 | 2014.07.15.(제2014-16호)
주 소 | 서울특별시 금천구 가산디지털1로 119 SK트윈타워 A동 305호
전 화 | 1670-8316
이메일 | info@bookk.co.kr

ISBN | 979-11-410-5569-1

www.bookk.co.kr

목차

여는 글

성공한 삶의 조건은 무엇일까. 경제적으로 부유하고 사회적으로는 명성을 얻는 것이라 여기는 사람들이 많을 것이다. 물론 틀린 말은 아니다. 그러나 중요한 조건 한 가지가 빠졌다. 바로 건강이다.

평소 생활하면서 공기의 고마움을 모르다가 군 훈련소 가스실을 방문한 후에야 신선한 공기가 얼마나 고마운지 깨닫게 되듯이, 건강을 잃고 나서야 그것이 성공과 행복한 삶의 첫 번째 조건이 된다는 것을 깨닫게 된다.

우리는 살아가면서 감기나 배탈 같은 이런저런 질병에 걸려 힘든 시간을 보내며 건강의 소중함을 알게 된다. 그러나 현대 의학의 발달로 그들 대부분은 비교적 쉽게 다스려지고 또다시 건강의 소중함을 망각하기 쉽다.

그러나 내가 걸린 질병이 암이라는 말을 듣게 된다면 얘기는 달라진다. 그때 가서 왜 진작 건강관리에 소홀했는지, 왜 진작 건강 체크를 안 해봤는지 후회하게 된다. 만일 그 암의 병기가 높다는 판정을 받기라도 하는 날엔, 건강만 되찾을 수 있다면 돈도 명예도 다 필요없다 말하기도 한다.

이 글은 실제 림프암 4기 판정받은 필자가 최초 인지 단계부터 완치 판정을 받기까지 경험하고 느꼈던 생각들을 가능한 사실적으로 기술한 것이다. 그러나 같은 꽃을 바라볼 때도 사람마다 평가가 조금씩 다르듯이, 다소 과장되거나 감성이 이입된 부분도 있음을 밝힌다.

또한 지나간 시간을 되돌려 기억하는 데 한계가 있고, 특히 의학적인 부분을 얘기할 때는 전문적인 지식이 부족하여 사실과 다르게 기술한 부분도 있을 수 있음을 밝힌다.

어두운 그림자

난 더 이상 버티지 못하고 슬그머니 주저앉았다. 아직 캐야 할 고구마 이랑이 얼핏 보아도 네댓 이랑은 되어 보였으나 더 이상 일을 할 수가 없었다. 저만치에 호미 든 장인어른의 바쁜 손놀림이 얼핏 눈에 들어왔다. 고구마밭에 들어서기 전 농담인 듯 속삭인 아내의 목소리가 뇌리를 스쳤다. '당신, 처삼촌 벌초하듯 하면 안 되는 거 알지' 아픈 배를 움켜잡고 어떻게든 일어서려는데 도저히 허리가 펴지지 않아 다시 주저앉고 말았다. 사실 며칠 전부터 특별히 아픈 곳은 없는데, 이상하게 피곤하고 컨디션이 좋지 않았다. 그러나 며칠 이러다 괜찮겠지 여기며 오늘 처형 내외가 농사짓는 고구마밭 수확 일에 나섰다가 결국 낭패를 본 것이다.

처음엔 대수롭지 않게 바라보던 아내도 계속해서 일어났다 앉기를 반복하는 모습을 보고는 나에게 다가와 속삭이듯 물었다.

"당신 괜찮아?"

남의 일 도우러 왔다가 괜히 민폐나 끼치는 게 아닐까 하는 걱정이 낮은 목소리에서 묻어났다.

"배가 아파 허리를 잘 못 펴겠어."

길게 대답하는 것조차 힘이 들어 핵심만 짧게 대답했다. 사태가 심상치 않음을 눈치챈 아내는 돌아갈 채비를 서두르기 시작했다.

간신히 몸을 추스르고 운전대를 잡았으나 언제 다시 복통이 올지 몰라 반 시간 정도 걸리는 돌아오는 길이 아득하게만 느껴졌다. 조심조심 집 앞까지는 올라왔으나 현관 손잡이를 잡는 순간 또다시 배를 움켜잡고 주저앉고 말았다.

"장염입니다. 요즘 장염이 유행이니까 며칠 약 드시는 동안 가능한 죽을 드시면 좋겠습니다."

동네 병원 의사 선생님은 오늘도 장염 환자 몇 분을 진료하셨다며 청진기로 배 여기저기를 대보고 손으로 몇 군데를 꾹꾹 눌러 보시고는 건조하게 말씀하셨다. 그런데 지시받은 그대로 시간 맞춰 약을 먹고 죽을 조금씩만 먹었으나 상태는 좀처럼 좋아지지 않았다. 결국 다시 병원을 찾았다.

"선생님 배가 아프다가 안 아프다가를 반복합니다."

"장염 증세가 원래 그렇습니다. 약을 며칠 더 드셔보시지요"

그러나 복통은 좀처럼 줄어들지 않았다. 그런데 확실한 것은 음식을 먹었을 때는 배가 아프다가도 음식을 먹지 않을 때는 한결 편안해졌다. '까짓거 한 이틀 완전히 굶어보자. 며칠 굶는다고 죽기야 하겠어?' 그러는 사이 동네 병원을 몇 번 더 갔다 왔고, 의사 선생님 나름의 처방은 계속되었으나 복통의 상태는 전혀 개선될 기미가 보이지 않았다. 그러던 어느 날 거울에 비친 얼굴이 좀 야윈 느낌이 들어 몸무게를 재 보았는데 거의 5kg이 빠져 있었다. 그때 비로소 '아 뭔가 크게 잘못된 것이 아닐까'하는 생각이 들면서 최초 복통이 일어난 이후 시간을 계산해 보았다. 거의 달포가 지난 뒤였다. 그제야 부랴부랴 내시경 전문 병원을 찾았다.

"환자분 저쪽 탈의실로 들어가셔서 아래위 모두 갈아입으세요. 하의는 터진 부분이 뒤로 가게 입으셔야 합니다."

간호사의 생소한 지시가 긴장한 몸을 더욱 얼어붙게 했다. 달포면 꽤 긴 시간이다. 그동안 모질게 굶어도 보았다. 그러고 나면 너무 배가 고파 죽을 먹고 나면 예약이라도 한 듯 화장실로 직행했다. 그러는 동안 주위 사람들에게 물어봤다. 한결같이 내시경 검사를 하는 것이 좋겠다는 대답이 돌아왔다. 내시경? 흔히 말하는 위내시경, 대장내시경을 말하는 건가? 한 번도 해 본 적이 없는데. 그런 거는 나이가 많거나 특별히 몸이 약한 사람이 하는 거 아닌가. 건강하다고 자타가 공인하는 내가 그것을 해야 한다고? 한 달을 훌쩍 넘게 고생하고 몸무게가 훅 빠진 후에야 내가 미련했음을, 자만에 빠져 있었음을 알아차렸다. 왜 진작 사람들 말에 좀 더 귀 기울이지 않았을까. 왜 진작 더 정밀한 검사를 할 생각을 못 했을까. 만감이 교차했다.

"위는 깨끗한데 대장내시경 결과가 좀 이상하네."

컴퓨터에 나타난 울긋불긋한 많은 사진을 한참 들여다본 의사 선생님은 이해가 잘 안된다는 듯 고개를 갸우뚱하면서 혼잣말로 중얼거렸다.

"위도 깨끗하고 대장 표면도 깨끗합니다. 그러나 대장 표면에 혈흔의 흔적이 보이는데, 이 혈흔은 대장 표면에서 발생한 것은 아닌 것으로 판단됩니다. 다시 말씀드리면 위와 대장 사이 즉 소장에서 발생한 혈흔인 것 같습니다. 더 큰 병원에서 CT 촬영을 해 보시는 게 좋을 듯합니다."

선생님이 소개해준 소위 더 큰 병원이라는 곳은 그리 멀지 않은 곳에 있었다. 역시 생전 처음 하는 CT 촬영을 마치고 병원 문을 나와 인근 약국 거리를 서성이는데 갑자기 핸드폰 소리가 요란하게 울렸다. 길을 걷다 핸드폰 소리를 들은 적이 한두 번이 아닌데 그날 그 순간에 울린 벨 소리는 십수 년이 훌쩍 넘은 지금 생각해도 마치 송곳이 폐부를 찌르듯 날카롭게 다가왔다. 어디서 걸려 온 전화인지 확인하기도 전인데 말이다. 이어서 들려온 목소리는 심장을 얼어붙게 만들었다.

"환자분 결과가 좋지 않습니다. 아직 인근에 계신다면 바로 병원으로 다시 오시기 바랍니다."

진료실 앞에는 간호사 한 분이 미리 나와 기다리고 있었다. 내가 자리에 앉기도 전에 의사 선생님은 급하게 말씀하셨다.

"이 CT 사진을 가지고 빨리 대학 병원으로 가 보시기 바랍니다."

의사 선생님이 손에 들려준 봉투를 들고 가장 가까운 대학 병원까지 지하철을 탔는지 택시를 타고 왔는지 이후 아무리 기억을 더듬어도 생각나지 않았다. 그때는 이미 정신이 반쯤 나가 있은 듯했다.

"소장이 꼬였는데 자세한 건 더 검사 해 봐야겠지만 크기로 봐서는 아마 암인 것 같습니다."

난 병원이라고는 특별히 가 본 적이 없다. 아 물론 몇 번 있기는 하다. 그중 한 번은 7년 전쯤 축구 하다 왼쪽 발목 아킬레스건이 끊어져 봉합 수술을 하고 깁스를 한 채 약 두 달 동안 침대 생활을 한 적이 있는데, 나이 40이 넘은 나이에 20대처럼 운동장을 휘젓고 다니다가 일어난 사고였다. 그 두 달 동안이 하필이면 2002년 서울 월드컵 기간이어서 덕분에 병원 침대에 누워서 본선 진출국 모든 축구 경기를 재방송까지 반강제로 볼 수 있었다. 한국이 월드컵 4강이 확정되던 날 남들은 기쁨을 주체하지 못해 거리로 뛰쳐나가는 동안, 난 침대에 누워 목발을 치켜들고 만세를 불렀던 기억이 지금도 생생하다. 그리고 깁스를 풀자마자 약해진 다리 근육을 키우기 위해 매일 저녁 모래주머니를 발목에 차고 집 근처 학교 운동장을 달렸다. 그 외 몇 번 더 간 병원행도 무리하게 운동하다가 근육이 늘어나 물리치료 받으러 간 정도가 전부였을 정도로 건강한 체력과 정신력을 갖고 있다고 자신하고 있었다. 물론 술안주로 먹어 치운 삼겹살을 한 줄로 늘어놓으면 노량진에서 영등포 사이를 두 번은 채울 정도로 술을 좋아하긴 했지만, 담배도 피워 본 적이 없는 내가 뜬금없이 암이라니, 갑자기 머릿속이 하얗게 변하는 것 같았다.

2인실 병실에 돌아온 아내와 난 더 이상 말이 없었다. 단순 장염은 분명 아닌 듯하여 구체적인 검사를 시작했지만, 내시경 검사로 시작해 암이란 소견을 듣기까지 채 하루도 걸리지 않았다. 날벼락도 이런 날벼락이 없었다. 암이라면 무슨 암일까. 소장에도 암이 생길 수 있나. 위암 대장암은 들어봤어도 소장암은 들어본 적이 없었다.

같은 쓰는 병실의 바로 옆 병상에서는 부부로 보이는 두 남녀가 내가 진료실로 내려가기 전부터 토닥거리며 다투고 있었는데, 진료실을 다녀온 그때까지 다투고 있었다. 술을 너무 많이 마셔 위염이 심해진 남자를 아내인 듯한 여자가 날카로운 목소리로 타박하고 있었고, 남자는 수세에 몰린 채 방어 논리를 펴느라 쩔쩔매고 있었다. 아! 나도 암이 아니라 저 남자처럼 그저 위염이라는 얘기를 들으면 얼마나 좋을까.

잠시나마 불행 중 다행

웅성거리는 소리에 잠이 깼다. 온몸이 묶어져 있었으나 다행히 고개는 돌릴 수 있었다. 넓은 방 여기저기에는 알 수 없는 기계들이며 컴퓨터 등이 놓여 있고, 흰 가운을 입은 남녀 여러 명이 이리저리 바삐 움직이며 무슨 소린지 알 수 없는 대화를 주고받느라 정신이 없어 보였다. 수면에서 깬 것이다. 오른쪽으로 고개를 조금 돌리자 컴퓨터 화면이 눈에 들어오는데 흰색 가운들 사이로 큼지막한 노란색 덩어리 한 개가 그 화면 한가운데를 차지하고 있었다. '저것이 내 뱃속에 들어 있단 말인가? 설마 저것이 암 덩어리?' 통증은 느껴지지 않았지만, 이 모든 광경이 불편해 난 차라리 다시 잠들고 싶었다. 헛기침으로 잠에서 깼음을 알리자 누군가가 급히 다가와 어떤 조치를 했고, 난 다시 깊은 잠 속으로 빠져들었다.

어제 아침이었다. 다시 찾은 진료실에서 의사 선생님은 이것저것 설명을 하던 중 소장 내시경 검사를 해야 한다고 했다. 소장 내시경? 위내시경 대장내시경은 들어 봤어도 소장도 내시경을 한다고? 선생님의 설명은 계속되었다.

"소장의 길이는 사람에 따라 약 6~8m 정도 됩니다. 환자분은 대장에 가까운 그러니까 소장의 끝부분이 중첩되어 있습니다. 흔히들 이런 현상을 장이 꼬였다고 하는데, 암 덩어리나 지방 덩어리 등이 장에 매달려 있어서 장의 연동 운동을 방해할 때 흔히 일어나는 현상입니다. 그런데 크기로 봐서 지방이 아니라 암 덩어리일 가능성이 있어 보입니다."

그리고 소장 내시경은 대장내시경처럼 항문으로 카메라가 들어가며 그 긴 소장 전체를 검사하기 때문에 전신 마취에 버금가는 수면은 기본이고 비용과 투입되는 인력, 소요 시간 등이 대장내시경과는 비교할 수 없을 정도로 엄청나다고 했다. 그리고 오늘 저녁에는 장을 비우고 검사는 내일 오전에 한다고 했다. 먹은 것도 없는데 또 장을 비워야 하냐고 물었더니 간호사는 대답 대신 커다란 들통 하나를 들려주며 이것저것 주의 사항을 일러 주었다.

다시 잠이 깼을 때는 이미 병실에 올라와 있었다. 곧이어 병실 문이 열리더니 무심한 남자 목소리가 날아왔다.

"최정민 환자분 암으로 판명되었습니다. 무슨 암인지는 조직검사를 마친 후에 말씀드리겠습니다."

갑자기 병실 안이 쥐 죽은 듯 조용해졌다. 조금 전까지 아옹다옹하던 옆 병상 위염 남녀도 암이라는 말을 듣고는 별것 아닌 것으로 다툼을 한 것이 미안하다고 생각했는지 이후 말이 없었다. 내시경 검사 시 잠깐 잠에서 깼을 때 이미 노란색 덩어리를 봐서 어느 정도 예상은 했지만, 막상 암이라는 공식적인 확인 절차를 당하고 나니까 다시 한번 가슴이 쿵 내려앉고 이제부터 무엇을 어떻게 해야 할지 눈앞이 캄캄했다.

사람들은 평소 생각 속에, 암은 다른 사람들에나 해당하는 얘기고 나하고는 아무런 관계가 없는 것이라 여기기 때문에 정작 자신이 암에 걸렸다는 얘기를 들으면 머릿속이 하얘지기 마련이다. 그러다가 조금 정신이 들면 궁금한 것들이 생겨난다. 일단 암의 종류가 궁금하고 다음은 병기가 초기인지 말기인지 진행 정도가 궁금해진다. 그러나 궁극적으로 궁금한 것은 완치 확률이다. 초기면 그나마 여유가 생기지만, 4기나 말기 판정을 받게 된다면 오로지 내가 살 수 있는지 아닌지에 모든 생각을 집중하게 된다. 그리고는 모든 것이 원망스러워진다. 세상에 담배 피우는 사람들이 저렇게나 많은데 왜 하필 나한테 폐암이 찾아오는지 원망스럽다. 보이는 삼겹살집마다 빈자리를 찾아볼 수 없을 정도로 손님들로 가득하고, 거의 모든 테이블 또한 소주병 서너 개씩은 기본으로 올려져 있는데, 같이 술 마시던 친구 녀석들 가운데서 왜 하필 나만 간암에 걸리는지 생각할수록 억울하고 화가 난다. 그러나 그런 생각들은 어제까지 얘기고 오늘부터는 냉엄한 현실을 받아들여야 한다.

다음날 조직검사 결과가 나왔다. 혈액암의 일종인 림프암이라고 한다. 우리 몸에는 림프절이 온몸에 분포되어 있으며 비정상 림프구가 림프절에 침범하여 증식하면 그 림프절이 붓게 되고 암이 되는데 나 같은 경우는 그 비정상 림프구가 소장과 대장의 연결부위에 있는 림프절에 침범했다고 한다. 이제 암의 종류는 알았으니 다음은 그 진행 징도다. 다시 말해 병기가 몇 기에 해당하는지가 관심의 전부가 되었다.

"환자분의 상태로 봐서는 1기인 것 같습니다. 그러나 몇 가지 검사를 더 해야 정확한 병기를 알 수 있습니다."

의사 선생님 얘기처럼 1기면 그나마 다행이다. 이어서 혈액 검사부터 시작해 X-ray, CT, MRI, PET 등 온갖 가지 검사를 위해 병실과 검사실을 정신없이 오르내렸다. 처음 해 보는 검사들도 있었으나 대부분은 그렇게 힘들지 않았고 결과도 비교적 빨리 나왔다.

"지금까지 검사 결과로 봐서는 1기가 거의 확실합니다."

컴퓨터 화면으로 여러 검사 결과들을 살펴보신 선생님은 불행 중 다행이라는 표정으로 말씀하셨다.

"그럼 1기일 가능성을 확률로 따지면 몇 퍼센트일까요?"

"97% 정도라고 할 수 있습니다. 내일 예정 되어 있는 골수 검사 결과를 확인해야 100%라고 할 수 있습니다."

골수 검사는 지금까지의 검사들과는 차원이 달랐다. 흔히 등뼈라고 하는 척로부터 골수를 빼내는 검사는 부분 마취에다 시간도 오래 걸려 말이 검사지 그냥 수술이라는 표현이 더 어울렸다.

한편, 다니던 직장이 고등학교이고 맡은 보직이 학교 업무 전반을 두루 살펴야 하는 교무부장인지라 담당 수업을 비롯해 다가올 수능 준비 등 학교 일도 여간 신경 쓰이는 게 아니었다. 전체 마흔다섯 학급에 교사들의 수가 아흔 명에 가까울 정도로 큰 학교이니 그에 수반되는 업무들이 얼마나 다양하고 이해관계가 복잡하게 얽혀 있겠는가. 학교 현장을 한 번이라도 근무해본 사람이라면 그런 규모의 인문계 고등학교에서 교무부장의 역할이 어느 정도인지는 짐작이 가고도 남을 것이다. 그런 업무를 수행하면서도 점심시간이면 학생들과 어울려 축구 시합을 할 정도로 건강하다고 자타가 공인하고 있었다. 그런 사람이 갑자기 암에 걸렸다고 병원 침대에 누워 버렸으니 인간적으로 안타까운 심정이야 말할 것도 없지만, 업무적으로 낭패감에 빠졌을 학교 당국의 입장도 이해할 수 있었다.

그렇게 안타깝고 답답하던 며칠이 지나고 드디어 암 1기라는 소식이 학교에 퍼지기 시작했다. 우리 속담에 '어' 다르고 '아' 다르다는 말이 있다. 그것은 같은 말이라도 받아들이는 마음에 따라 해석이 달라진다는 뜻이다. 처음 암이라는 말을 들었을 때 하늘이 무너져도 그 암이 1기라는 말을 들으면 솟아날 구멍이 크게 보이게 마련이다. 나의 암 소식을 접한 동료 교사들도 같은 마음이 아니었을까. 처음에는 위로나 마음 아파하는 전화나 문자들이 대세를 이루더니 갑자기 안도와 희망 쪽으로 분위기가 바뀌고 나중에는 업무와 관련된 질문들도 날아들고 있었다. 그런 분위기의 상승 곡선이 얼마나 가팔랐는지 당장 내일 스무 명 정도의 동료 교사들이 떼를 지어 위문차 병원을 찾겠다고 한다. 아직 최종 확정 판정이 나지도 않았는데 말이다.

일반적으로 친척이나 지인들이 슬픈 일을 당하게 되면 그 슬픔을 위로하고 같이 아픔을 나누기 위해 그들의 집이나 병원을 찾게 된다. 이때도 슬픈 일의 종류나 정도에 따라 찾는 발걸음의 무게에 차이가 나기 마련이다. 초상을 예로 들어보자. 천수를 누리다가 노환으로 세상을 떠난 경우는 장례식장을 찾는 것에 주저할 이유도 없고 발걸음도 그다지 무겁지 않을 것이다. 그러나 젊은 나이에 예기치 못한 사고로 세상을 뜬 경우라면, 어쩔 수 없이 발걸음은 장례식장을 향하고 있어도 유가족에게 무슨 말을 건네야 할지 난감할 것이다.

그런데 암 환자 위로 방문은 초상집 조문과는 또 다른 특성을 가지고 있다. 초상은 거기로 향하는 발걸음의 무게에 차이는 있으나 어쨌든 정해진 기간 안에 조문은 한다. 그러나 암 환자 위로 방문은 그렇게 간단치가 않다. 가령 4기나 말기 암 환자에게 과일 바구니 하나 들고 찾아가 용기를 내라며 판에 박힌 말이나 하고, 나도 마음이 아프다며 우거지상을 한들 그게 환자에게 무슨 도움이 될까. 그렇다고 온갖 약병을 주렁주렁 달고 누워 있는 환자 앞에서 마음 놓고 웃거나 얘기할 수도 없는 노릇이다.

이런 사정을 모를 리 없는 직장 동료들이 떼 거지로 몰려온다고 한다. 이는 병기가 초기라는 소문을 듣고 안도한 그들이, 나에게 위로가 아닌 축하를 주기 위해 온다는 뜻이기도 했다.

그리고 학교 당국은 계산했을 것이다. 간단한 수술이나 치료가 끝나면 다시 학교에 복귀할 거라고. 그리고 수업이며 밀려있던 수능 준비가 다시 진행될 거라고.

무릎이 꺾이다

　잠자리에 들 시간이 되어 엉켜있던 담요를 가지런히 하려고 병상에 엉거주춤 서 있는데 병실 문이 벌컥 열리더니 약간의 원망과 주저하는 마음이 섞인 나지막한 혼잣말 목소리가 들렸다.

　"이런 심부름은 항상 나한테 시킨다니까."

　이어서 서늘하게 느껴질 정도로 침착한 말이 이어졌다.

　"최정민 환자분 골수 검사 결과가 나왔는데 좌 골수 우 골수 모두 양성으로 나왔습니다."

　"그럼 어떻게 되는 겁니까?"

　"안타깝지만 4기 판정입니다."

　갑자기 온몸의 힘이 다 빠져나가 그대로 허물어졌다.

　"아니 환자분 편하게 앉으세요."

　편하게 앉아? 무슨 말이지? 그러고 보니 나도 모르게 나의 두 무릎이 침대 위에 꿇어져 있었다. 사형수가 사형 집행 날 호출을 당하면 자신도 모르게 무릎이 꺾인다는 얘기를 들은 적이 있다. 4기라는 얘기를 듣는 순간 나도 모르게 무릎이 꺾여버린 것이다. 암 5기는 사람들의 입에 회자 되지 않으니 4기라는 것은 마지막 즉 말기라는 의미 아닌가. 사형수가 집행 날짜를 기다리고 있는 것과 무엇이 다른가. 그런데 편하게 앉으라니. 나도 모르게 무릎이 꺾여버린 걸 어떡하라고. 이런 상황에서 앉는 자세 따위가 뭐 그리 중요하단 말인가. 뒤돌아서 병실 문을 닫고 나가는 의사의 뒷모습이 마치 사망 통보를 하고 홀연히 떠나가는 저승사자처럼 비정하고 차갑게 느껴졌다.

사실 오전부터 느낌이 좋지 않았다. 통상 각종 검사 결과가 오전 10시경이면 나오는데 점심을 먹고 늦은 오후가 되었는데도 아무런 연락이 없었다. 뭐 워낙 까다롭고 중요한 골수 검사니까 좀 늦어지나보다 하고 기다렸는데 기어이 청천벽력 같은 소식을 전해 듣고 말았다. 의사가 겨우 몇 마디만 흘려놓고 간 2인실 병실은 나도 아내도 그리고 옆 병상 사람들 누구도 입을 열지 않은 채 깊은 침묵 속으로 빠져들었다.

얼마나 밤이 깊었을까. 뒤척이는 것에도 한계가 왔는지 더는 누워 있지 못하고 조용히 병실을 빠져나와 라운지로 갔다. 이미 그곳에는 휠체어 기둥에 링거며 각종 약 비닐봉지들을 매단 환자 몇 명이 창밖을 응시하고 있었다. 저들도 나처럼 4기 판정받은 암 환자일까. 저들도 나처럼 도저히 잠들지 못하고 조용히 병실을 빠져나와 저렇게 초점 없는 눈으로 하염없이 창밖만 바라보고 있는 것일까. 그들의 눈길이 닿는 그곳엔 휘황찬란한 고층 건물 불빛과 도심을 거리낌 없이 내달리는 자동차 불빛이 얼핏 보이는가 싶더니 이내 암담한 암흑 세상으로 변해있었다.

이제부터 뭘 어떻게 해야 하나. 현실을 받아들이고 차분히 죽음을 준비해야 하나. 죽음은 또 어떻게 준비해야 한단 말인가. 주위 사람들은 그래도 마지막까지 최선을 다해야 한다고 말하겠지. 그 말이 4기 암 환자에게 얼마나 서늘하고 고통스럽게 들리는지 그들은 알기나 할까. 항암이 그렇게 힘들다던데, 그러고도 끝내 죽어버린다면 마지막 숨을 거두는 순간 그 힘든 과정이 너무 억울하게 느껴지지 않을까. 비록 바람 앞에 놓인 등불 같지만, 그 실낱같은 희망이라도 움켜쥐고 죽는 순간까지 살아 보겠다고 발버둥 치는 것이 그래도 소중한 생명을 주신 부모님에 대한 태도가 아닐까. 아니면 어차피 사람은 한번은 죽게 되어 있고, 삶과 죽음 또한 신의 영역인지라 얼마

남지 않은 생명선이나마 편안히 관리하다가 어느 날 조용히 운명을 받아들이는 것이 더 나은 방도일까. 도대체 지금 내가 선택해야 할 최선의 길은 무엇인가.

얼마나 많은 시간이 지났을까. 문득 돌아보니 언제부터 와 있었는지 아내가 등 뒤에 서 있었다. 눈이 마주치자 아내는 차마 내 눈을 바라보지 못하고 조용히 눈을 내리깔았다. 난 만약을 대비해야겠다는 마음으로 아내에게 말했다.

"내게 비자금 통장이 있는데 그 통장 비밀번호 알려줄게."

"싫어. 그 번호 알고 싶지 않아."

자기는 이미 싸울 준비가 되었다는 듯 또박또박 단어들을 내뱉었으나 목소리는 가늘게 떨리고 있었다.

병실 문이 열리더니 제일 먼저 교감 선생님의 모습이 보였다.

"최부장 그래도 천만다행이야."

뒤이어 족히 열댓 명은 될 듯한 동료 선생님들도 병실로 들어왔다. 2인실 병실이 좁아 인사를 마친 몇 명은 다시 병실을 나가 문밖에 서 있었다. 그리고는 저마다 응원가 한마디씩을 내놓았다.

"부장님 건강이면 1기 정도야 충분히 극복할 수 있겠네요."

"요즘 의료 기술이 워낙 좋으니까 1기 정도야 뭐 우습죠."

"교무부장님이 없으니까 학교가 텅 빈 것 같아요. 빨리 나으셔서 학교에 나오셔야죠."

아침이 되자 새로운 걱정거리가 생겼다. 오늘 동료 교사들이 나 병문안하러 잔뜩 몰려온다는데. 그리고 그들은 내가 1기 암 환자로 알고 있을 텐데. 만나면 4기라고 사실대로 말해야 하나. 그러면 어떻게 하룻밤 새 1기가 2기도 3기도 아닌 4기로 둔갑할 수 있냐며 모두 내 입만 쳐다볼 것이 뻔하고, 난 이러쿵저러쿵 어찌어찌하여 4기가 되었노라고 설명을 늘어놓아야 하고…. 난 자신이 없었다. 차라리 1기라고 계속 거짓말을 하며 짐짓 여유 있는 표정을 내보일지언정, 내 입으로 4기라는 단어를 내뱉을 용기가 나지 않았다. 그래도 귀한 시간을 쪼개어 나한테 용기를 주러 온 귀한 손님들인데 어떻게 거짓말을 할 수 있나 생각해 보았으나, 4기라는 단어를 내뱉는 순간 다시 한번 무릎이 꺾여버릴 것 같아 그들 앞에서 물리적으로 무너져가는 내 모습을 차마 보일 수가 없었다. 그러나 4기인 것을 1기 인척하는 것도 힘들기는 마찬가지였다. 내가 4기라는 것을 옆 병상의 환자분과 그 보호자도 이미 알고 있을 텐데, 사람들에게 1기 인척 계속 연기하는 모습을 보고 그들은 무슨 생각을 하고 있을까. 형언할수 없는 소식을 접하고도 직장 동료들을 안심시키고자 초인적인 힘을 빌휘하는 무서운 정신력의 소유자로 비칠까, 아니면 천 길 낭떠러지 끝에 매달린 채 떨어지지 않으려 안간힘을 쓰고 있는 애처롭고 가여운 모습으로 보일까. 칠흑 같은 어둠에 갇혀 한 치 앞도 못 보는 나의 정신세계와는 달리 그들의 무심한 질문은 이어지고 있었다.

"병원 밥은 잘 나오나요?"

"1기니까 개복 수술 대신 복강경으로 하겠죠?"

"퇴원은 언제쯤 하나요?"

어쩜 저들은 저렇게도 마음이 편안해 보일까. 이 순간 나도 저들 무리에 섞여 누군가를 병문안하고 있으면 얼마나 좋을까. 엊그제까지는 나도 저 무리 속에 섞여 마치 한 몸처럼 움직였는데, 오늘 왜 나만 철저히 격리되어 저들의 위로를 받는 처지가 되고 말았는지 생각할수록 억울하고 원통했다. 어떤 이는 관심도 없는 학교 일을 떠벌이고 어떤 이는 가지고 온 음료수 캔을 따서 내 앞에 들이밀고 있었지만, 진흙 웅덩이에 고인 물처럼 답답한 시간은 좀처럼 줄어들지 않다. 별것 아니라고, 용기를 주겠노라고 먼 거리를 달려와 이런저런 얘기로 날 위로하기 위해 저렇게 애쓰고 있는데도, 이미 속이 까맣게 타버린 탓에 눈은 좀처럼 초점을 찾지 못하고 허공만 맴돌고 있었다. 그래도 행여 실성한 사람처럼 비칠까 염려되어 온 힘을 다해 정신 줄을 움켜잡고 있는데 누구의 입을 통해서인지 드디어 고대하던 소리가 들렸다.

"벌써 시간이 많이 늦었습니다. 그만 일어나죠."

마치 가슴을 짓누르던 바위가 치워지고 있는 듯 막혔던 기도가 열리며 숨통이 트이고 있었다. 그들을 배웅하기 위해 같이 승강기를 탔다. 치료 잘 받으라며 건강 잘 챙기라며 나름 저마다 한마디씩 걱정해주고 염려해 주었다. 난 이제 겨우 다시 숨을 쉬기 시작했는데, 승강기 안 웅성거리는 분위기는 병문안 온 사람들의 그것이라고는 도저히 느껴지지 않을 정도로 편안했고 자연스러웠다. 승강기에서 내려 멀어져가는 그들을 향해 난 웃음을 지어 보이며 손을 흔들었다. 저들과 함께 할 날이 다시 올까, 아니면 오늘이 저들을 보는 마지막 날이 되는 걸까.

수술 날짜는 다음 주 월요일에 잡혔다고 한다. 혈액암은 상황에 따라 수술을 할 수도 안 할 수도 있는데 내 경우는 깔끔하게 수술을 하고 항암을 하는 것이 좋겠다고 의사 선생님이 말씀하셨다. 수술을 하고 안 하고가 문제가 아니었다. 나의 관심은 오로지 병기가 4기인 환자의 완치 확률에 있었다. 즉 살수 있느냐 없느냐가 문제인데 그것에 대해 속 시원하게 대답해 주는 사람은 어디에도 없었다. 의사 선생님도 함께 일하는 간호사님도 한결같이 '정확한 통계가 없어 잘 모른다.'만 외쳤다. 답답한 마음에 인터넷을 뒤져보았다. 위암 대장암 췌장암 같은 고형암에 대해서는 일관되지는 않지만 나름대로 완치 확률이 나와 있었다. 그런데 혈액암에 대해서는 어디에도 찾을 수가 없었다. 암 병동 게시판에 '치료에 대해 궁금한 사항은 수간호사 실로 문의 바랍니다.'라는 글귀가 눈에 띄었다. 그렇지, 수간호사라면 경험이 많을테니까 나름대로 완치 확률을 알고 있을지도 몰라. '수간호사실'이라고 쓰인 문 앞에 섰다. 확률이 얼마라고 얘기할까. 또다시 무릎이 꺾이는 건 아닐까. 어차피 4기니까 큰 기대는 하지 말자. 나이가 좀 있어 보이는 수간호사는 나의 얘기를 듣더니 난처한 듯 표정을 지으며 얘기했다.

"글쎄요. 정확한 통계가 없어서 말씀드리기 어렵습니다."

나는 다시 한번 더 매달렸다.

"통계가 정확하지 않아도 괜찮습니다. 수간호사님께서 지금까지 봐오신대로 말씀해 주시면 안 될까요?"

나의 간절한 눈빛에도 그녀의 대답은 한결같았다.

"도움을 드리지 못해 죄송합니다. 최선을 다해 치료에 임하시면 좋은 결과가 있지 않을까요."

10년 넘게, 아니 어쩌면 20년도 더 넘게 간호사 일을 해오신 분이 대략적이나마 어떻게 모를 수 있을까. 다만 너무나 낮은 확률을 차마 입 밖으로 내놓지 못할 뿐이겠지.

항암 실의 첫 방문

침대에 실려 수술실로 들어오자 마치 하얀 꽃잎 여러 개를 한곳에 모아 놓은 듯 대낮보다 더 밝은 등들이 맨 먼저 눈에 들어왔고, 그 아래에는 눈만 내놓은 채 완전무장한 의료진들이 방금 들어온 나를 내려보고 있었다. 난 지금까지 영화나 TV 드라마를 통해서만 수술실 분위기를 엿볼 수 있었다. 내 머릿속에 들어 있는 수술실 모습은 나름 인간적이고 온기가 있는 곳이었다. 드라마에서도 의사와 간호사는 차가운 느낌의 가운을 입고 있었으나, 그들은 수술에 앞서 특히 신경 써야 할 사안이나 만일의 경우를 대비한 비상조치 등에 대해 서로 의견을 주고받았다. 물론 드라마이기에 연출된 모습이긴 하지만 저곳도 분명 사람 사는 세상임엔 틀림없어 보였다.

그러나 드라마가 아닌 생전 처음 본 실제 수술실 모습은 숨을 멎게 하기에 충분했다. 여닫이문 하나 열고 들어왔을 뿐인데 문 저쪽과 이쪽 분위기가 이렇게 다를 수가 있을까. 바로 몇 초 전까지 나에게 쏟아지던 염려와 격려의 목소리는 흔적조차 없이 사라지고, 너무 밝아 오금을 조여오는 듯한 전등 불빛과 얼음같이 차가운 침묵만이 흐르고 있었다. 대충 둘러보아도 열 명은 되어 보이는 수술진들이 나를 삥 둘러싸고, 두 눈만 빠꼼이 나오도록 마스크를 올려 쓴 채, 한마디 말은커녕 미동조차 하지 않고서 가만히 서서 나를 내려다보고 있었다. 얼마의 시간이 지나자 누군가 다가와 수술에 대한 간단한 설명이 있는가 싶더니 갑자기 엄청나게 뜨거운 무엇인가가 배 속으로 훅 들어왔다.

새로 옮겨진 병실에는 나를 포함해 모두 다섯 명이 그날 수술을 받기 위해 순서를 기다리고 있었다. 무덤덤한 표정으로 병실을 나간 사람들이 수술을 마치고 다시 들어올 때는 하나같이 금방이라도 죽을 것 같은 오만상에 "이이고 아이고"를 연발하고 있었다. 그렇게 네 명의 환자들이 수술실을 다녀오고 거의 저녁때가 다 되어서 마지막으로 내 차례가 되었다. 종일 내 순서를 기다리며 수술 직후 고통스러워하는 모습들을 보면서도 두렵기는커녕 어서 빨리 내 순서가 오기만을 고대하고 있었다. 내 몸속에 어른 주먹보다 더 큰 암 덩어리가 들어 있다는 사실이, 그 어떤 육체적인 고통보다 더 큰 고통으로 온 정신을 짓누르고 있었기 때문이었다. 수술 후 나흘이 지나자 퇴원이 결정되었다. 명치 아래부터 배꼽을 지나 한참을 더 내려간 봉합 실밥들은 약 일주일 후 동네 병원에서 제거해도 된다고 했다.

  병원 문을 니서 택시에 오르자 처음 이곳에 들어서면서부터 지금까지 있었던 일들이 마치 한 편의 드라마처럼 뇌리를 스쳐 지나갔다. 입원할 병실이 없다며 빈 병실이 날 때까지 집에서 기다리라는 말을 들었을 때는 온 세상이 깜깜했었지. 4기 암 환자를 집에 돌아가라면 그냥 죽으라는 말밖에 더 되냐며 담당 의사와 원무과로 뛰어다니는 아내를 난 우두커니 서서 바라보았어. 그때 그 사람 심정이 어땠을까. 손만 대면 울어버릴 것 같은 아내의 얼굴을 본 담당 직원은 방법을 한번 찾아보자며 위로했고 잠시 뒤 연락이 왔지. 아주 비싼 VIP 병실도 괜찮냐고. 아내는 가격도 물어보지 않고 그냥 고맙다고만 했어. 그땐 정말 그냥 돌아서면 바로 죽는 줄로만 알았거든. 그런데 오늘 계산서를 살펴보니 말로만 듣던 VIP 병실료가 정말 비싸기는 하네. 하루 만에 낮은 등급의 병실로 옮긴 것이 그나마 다행이었지.

  약물이 팔뚝 핏줄 속으로 들어오기 시작하자 온도 차 때문인지 약간 서늘한 느낌이 들었다. 그리고 잠시 뒤 그 어떤 형용사로도 표현이 어려운 이상한 역겨운 냄새가 콧속을 찔렀다. 이상했다. 밀봉된 커다란 약병이 지지대에 매달려 있고 가느다란 호수가 그 약병과 내 핏줄을 직접 연결하기 때문에 외관상으로는 약 냄새가 새어 나올 틈이 없었다. 그런데도 갑자기 콧속을 강타하는 이 냄새는 대체 어디서 나오는 걸까. 아마도 투약되는 약의 강도가 워낙 세다 보니 콧속의 모세혈관이 버티지 못하고 그곳으로 아주 미량의 약물이 새어 나오는 것이 아닌가 싶다.

집에 돌아온 지 나흘 만에 동네 병원에서 실밥을 풀었다. 그리고 그로부터 일주일이 지나자 첫 항암이 시작되었다. 몸속에서 암 덩어리가 사라졌다는 사실 때문인지 내 표정은 한결 밝아져 있었다. 그러나 진짜 문제는 골수에 침범한 암세포를 잡아내는 것이었다. 그것 때문에 4기로 판정되지 않았던가. 항암이 힘들다는 말은 워낙 많이 들어온 터라 바짝 긴장은 되었지만, 어느 정도 싸워 볼 용기도 생겨나고 있었다. 투약되는 약물의 양이 암 병기에 따라 달라지는데 내 경우는 최고 병기여서 '리툭시맵'이라는 전문 치료 약을 항암 할 때마다 한 병을 모두 투약해야 한다고 했다.

항암 주사실의 분위기는 비정할 정도로 가라앉아 있었다. 바늘을 팔뚝에 꽂은 채 초점 없는 눈으로 병실 천장만 바라보고 있는 사람, 자기 몸속으로 비수처럼 스며드는 독한 방울들을 차라리 보지 않으려 눈을 꼭 감고 버티는 사람, 억지로 잠을 청해보려 이리저리 뒤척이는 사람, 모든 걸 체념한 듯 눈물만 뚝뚝 흘리며 금방이라도 허물어질 듯이 앉아 있는 바로 옆 아가씨는 차라리 엉엉 소리라도 질러 억울하고 원통함을 세상에 알리면 조금이라도 분이 풀리지 않을까. 병원 울타리 밖으로 한 발짝만 벗어나도 활기가 넘치는 수많은 사람이 거리를 활보하는데 저들은 전생에 무슨 죄를 지었길래 포로수용소 같은 곳에 갇혀 저리도 고통을 받는 걸까. 오늘이 첫 항암이어서 내 눈에는 모두가 안타까운 광경으로 보이지만, 다음 차 항암부터는 나도 저들 중 한 모습을 연출하며 또 다른 누군가의 눈에 한없이 가엽고 불쌍하게 보일 것이 뻔했다. 콧속을 찔러대는 역겨운 냄새가 조금 무뎌지는가 싶더니 이번에는 두통이 몰려왔다. 침대에 누웠다가 일어나 앉기를 수도 없이 반복해도 어린아이 머리만큼이나 커 보이는 항암 약병의 수액은 좀처럼 줄어들 줄을 몰랐다. 가끔 들르는 간호사 외에는 주변을 오가는 사람도 없었다. 보이는 사람들이라곤 같은 고통을 겪고 있는 환자들 뿐이었다. 수액 세트에서 방울방울 떨어지는 수액의 속도는 왜 저리도 더딘지. 또다시 시계를 본다. 지옥 같은 4시간이 지났다. 드디어 거꾸로 매달린 수액 병의 약물이 비닥에 조금 남아 있는 것이 보였다. 약물 대부분이 들어갔으니 이 지긋지긋한 주사기를 그만 빼달라고 간호사께 부탁해야지. 내 마음을 읽기라도 한 듯 간호사가 다가오더니 수액 병을 살펴본다. 아! 이제야 끝이 나는구나. 그런데 혼자 말처럼 무심이 내뱉은 그녀의 한마디는 무려 네 시간 이상 기다려 온 나의 마음을 무참히도 짓밟아 버렸다.

"엄청 비싼 약이기 때문에 한 방울이라도 남기면 안 돼요."

라고 말하더니 수액이 잘 내려올 수 있게 약병을 약간 기울여 놓고는 돌아섰다. 한술 더 떠 잠시 뒤엔 붉은색과 무색을 띤 약물이 담긴 커다란 주사기 두 개를 추가로 들고 와서는 수액 세트를 통해 엄청난 양의 약물을 사정없이 밀어 넣었다. 항암을 하면 체중이 줄어든다는데 항암 주사를 맞는 날은 최소한 몸무게 줄어들 염려는 없을 것 같다. 팔뚝에 꽂힌 바늘을 뽑고 잠시 누워 휴식을 취한 뒤 침대에서 바닥으로 내려서는데 갑자기 핑 돌더니 금방이라도 엎어질 것 같아 다시 침대에 누워 버렸다.

이 항암 약의 특징은 일단 혈액암이기 때문에 전신에 작용하는 것이고, 다음은 암세포를 죽이기 위해 새롭게 분열되는 모든 세포를 죽이는 것이 또 다른 특징이다. 그 부작용으로는 어지럼 증세, 무기력증, 탈모 등등이다. 그래서 일단 항암을 한 번 하게 되면 멀미약과 무기력증을 완화 시키는 스테로이드제를 처방받는다. 처방받는 약의 양은 병기에 따라 달라지겠지만 4기인 나는 항암 할 때마다 멀미약은 3일 치를, '소XX'라는 스테로이드제는 5일 치를 처방받았는데, 소XX 1일 치가 아침에 열 알 저녁에 열 알 모두 스무 알이다. 스테로이드제를 하루 스무 알씩을 먹는다는 것은 정상인들은 생각조차 하기 힘든 양이다. 이것은 나중에 다시 얘기하겠지만, 항암으로 인한 피곤함과 무기력증이 그만큼 엄청나다는 뜻이기도 하다.

항암을 하면 머리가 몽땅 빠진다는 사실을 인터넷에서 보았기 때문에 첫 항암 이틀 전에 동네 미장원에 들러 머리를 완전히 밀었다. 늘 가던 미장원이라 느닷없는 요구에 미용사가 다소 당황한 모습을 보이며 궁금해했지만, 구차한 설명이 싫어서 난 그냥 눈을 감고 말았다. 그런데 첫 항암을 한 뒤 하루가 지나고 이틀이 지나도 머리가 빠지지 않았다. 아, 어쩌면 난 항암을 해도 머리가 빠지지 않는 특이 체질인지도 몰라. 머리가 빠지지 않으면 그나마 다행인 거지. 그렇다면 괜히 머리를 빡빡 깎은 거잖아. 그러나 그 희망은 사흘째 되던 날 여지없이 무너져 내렸다. 아침에 세수하면서 양손이 앞머리 부분을 슬쩍 스쳤을 뿐인데 눈앞에 나타난 손바닥에는 마치 검은 볼펜으로 낙서해 놓은 듯 짧은 머리카락이 빼곡이 박혀 있었다. 이어서 샤워기를 머리에 갖다 대자 지저분한 이끼가 바위에 달라붙듯 까만 머리카락이 그 너른 화장실 바닥을 온통 뒤덮어 버렸다.

1차 항암이어서 그런지는 몰라도 인터넷에서 보고 듣던 것보다는 견디기가 수월했다. 뭐 이 정도라면 항암 주사 맞는 네다섯 시간만 제외하면 평상시 생활은 그럭저럭 견딜만할 것 같기도 했다. 그러나 3일 치 멀미약을 다 먹었는데도 어지럼 증상은 여전히 계속되고 따라서 입맛도 좀처럼 돌아오지 않았다. 항암 하는 동안은 무조건 잘 먹어야 한다는 의사 선생님의 지시에 따라 이것저것 꾸역꾸역 먹기 시작했다. 항암 주사를 맞은 지 일주가 지나고 이주차가 시작되자 몸은 급속도로 피곤해졌다. 그도 그럴 것이 그나마 컨디션을 지탱해 주던 스테로이드제가 바닥났기 때문이다. 들리는 말에 의하면 스테로이드제는 중독성이 있어서 항암을 한 번 할 때마다 5일 치 이상 처방은 안 해 준다는 것이었다.

어지럽고 몸만 피곤한 것이라면 그냥저냥 견디겠는데 문제는 정신적인 스트레스였다. 왜 나만 이 몹쓸 병에 걸렸는지, 모든 사람이 학교로 일터로 출근하는데 왜 나만 이렇게 덩그러니 집에 남아 있어야 하는지, 그나저나 도대체 살 수나 있는 건지, 종일 집안에 틀어박혀 걱정과 불만만 늘어놓고 있는 나 자신이 한심하기 이를 데 없었다. 게다가 입맛도 점점 없어지더니 어느 순간부터는 음식을 쳐다보기도 싫어졌다. 먹는 게 없으니 몸이 허약해지고 몸이 허약해지니 다시 입맛이 없는 악순환이 이어지고 있었다. 아! 항암이 이런 거구나. 의사 선생님의 말씀이 떠올랐다.

"항암은 기본이 6차는 해야 하고, 잡히지 않으면 2차를 더해야 합니다."

이제 겨우 1차를 했을 뿐인데 이런 것을 여섯 번을, 아니 어쩌면 여덟 번을 해야 한다고? 그래서 완치될 수 있다는 한 줄기 빛만 보여도 거기에 희망을 걸어 보겠는데, 빛은 고사하고 여명조차 찾을 수 없는 암흑천지에 홀로 갇힌 채, 기약 없이 헤매야 하는 내가 가여워 차라리 눈을 감아버렸다.

항암 2주차가 지나고 3주차에 접어들자 몸이 아주 조금씩 회복되는 느낌이 들었다. 3주차를 회복기라고 부르는 이유를 알 것 같았다. 회복기라고는 하지만 여전히 입맛은 없고 몸은 고단했다. 그런데 여전히 심각한 것은 걱정, 불안, 불만, 외로움 같은 정신적인 문제였다. 아내와 두 딸 모두가 직장과 학교에 가 버리고 황량한 거실에 혼자 덩그러니 남겨진 채, 저 멀리서 자동차 소리 희미하게 들려올 때면 두려움과 외로움이 담쟁이넝쿨처럼 한데 뒤엉켜 온몸을 휘감고 기어올랐다. 종일 하는 거라곤 때맞춰 꾸역꾸역 음식을 밀어 넣는 것과 TV 화면에 초점 없는 눈을 맞춰 놓고 있는 것이 전부였다. 가끔 내려놓았던 정신 줄을 다시 붙들고 주위를 둘러보아도 보이는 거라곤 무심한 거실 벽과 절망뿐이었다.

들통 속의 장어

내시경 작동 장치를 이리저리 돌려보던 젊은 의사는 당황한 기색이 역력했다. 지난번 기억을 더듬어 보면 지금쯤이면 내시경 카메라가 대장 끝부분 그러니까 소장 연결 부분까지 들어갔어야 할 시간이다. 배는 이미 가스가 가득 차 풍선처럼 부풀어 올랐는데 모니터 속의 카메라 위치는 변동이 없었다.

의사 선생님은 림프암은 재발이 비교적 잘 되며 재발이 되기 쉬운 위치가 수술한 곳이기 때문에 항암 할 때마다 그 부위를 눈으로 직접 확인해야 한다고 했다. 여기서 눈으로 확인한다는 것은 내시경 카메라로 본다는 얘기며 이는 항암 할 때마다 대장내시경을 해야 한다는 뜻이기도 했다. 즉 3주마다 항암을 하니까 3주마다 대장내시경을 한다는 것이다.

내시경 센터가 있는 병동에 처음 들어섰을 때 엄청 많은 사람이 차례를 기다리는 것을 보고 깜짝 놀랐다. 달포 전 동네 병원에서 처음 대장내시경 검사를 할 때와는 규모 면에서 비교 자체가 되지 않았다. 서울에서 손에 꼽히는 큰 병원이니까 규모뿐 아니라 시설이나 기술적인 면에서도 동네 병원과는 몇 차원 높을 거라 여기고 번호표를 뽑고 순서를 기다렸다. 한참을 기다려 불려 들어간 곳에서 몇 가지 확인 과정과 주의 사항을 듣고 검사복으로 갈아입었다. 처음 동네 병원에서 대장내시경 검사를 할 때 비 수면으로 했었는데도 크게 불편하지 않아서 이번에도 별생각 없이 비 수면으로 신청했다. 비수면은 수면 내시경에 비해 검사하는 동안 다소의 통증과 심리적인 불안감이 있지만 비교 우위적인 부분도 있다. 우선 비용과 검사 시간적인 면에서 수면 내시경보다 많이 유리하고, 무엇보다 검사하는 동안 모니터를 통해 본인의 대장 모습과 상태를 의사와 같이 보면서 의견 교환을 할 수 있으며, 상황에 따라서 용종이나 선종 같은 장차 암으로 발전할 수 있는 조직들을 사전에 제거하는 모습을 직접 눈으로 확인할 수 있어 심리적으로 안도할 수 있는 장점이 있다. 검사대 위에 모로 누운 뒤 다리를 앞으로 당겨 검사받을 자세를 취할 때까지만 하더라도 지난번의 경험이 있어 별로 걱정이 없었다. 그러나 검사가 시작되고 내시경이 항문을 통과하는 순간부터 어딘지 모르게 불편하고 매끄럽지 못한 분위기가 감지 되는가 싶더니 얼마간의 시간이 더 지나자 뭔가 잘못되고 있음을 실토하는 젊은 의사의 한 마디가 기어이 어색한 침묵을 깨고 말았다.

"이게 왜 안 들어가지?"

동네 병원에서의 경험도 있고 계속 부풀어 오르는 복부 팽만감에 신경이 예민해질 대로 예민해진 나도 더 이상 침묵하지 못하고 한마디 불평을 토해내고 말았다.

"이 정도 시간이 지났으면 벌써 검사가 시작되어야 하는 것 아닙니까?"

대장내시경은 케이블에 매달린 카메라가 대장 끝 그러니까 소장 연결 부위까지 들어간 다음 거기서부터 항문 방향으로 나오며 대장 벽을 차례차례 훑어보는 방식으로 검사를 하게 된다. 따라서 내시경 장비를 대장 끝까지 밀어 넣으면 일단 힘든 고비는 넘기게 되는 것이다. 나중에 여러 번 내시경 검사를 받으면서 알게 된 사실이지만, 사람의 대장은 ㅁ자 모양으로 되어 있어 대장이 꺾이는 모서리 부분에 내시경을 통과시킬 때 숙달된 기술이 필요하다. 그리고 환자가 내시경 검사를 받는 동안 얼마의 고통을 받는가는, 내시경을 조종하는 의사가 그 모서리 부분을 얼마나 부드럽게 통과시키느냐에 따라 그 정도가 달라지는 것이다.

아울러 이 글을 읽는 독자분들에게 당부하고 싶은 것은 대장내시경을 받고자 할 때는 이름 있는 대형 병원을 찾기보다는 경험 많고 노련한 의사를 찾을 것을 권하고 싶다. 하기야 처음부터 노련한 의사가 어디 있겠는가. '이게 왜 안 들어가지?'를 자기도 모르게 몇 번 외치다 보면 그 젊은 의사도 어느덧 숙련되어 있지 않을까.

거의 한 시간이나 걸려 우여곡절 끝에 검사를 마치고 나와 바깥 공기를 쐬니 비로소 숨통이 트이는 것 같았다. 가스가 차 남산처럼 부풀어 오른 배가 어느 정도 가라앉으면 이제 2차 항암 주사를 맞으러 범 굴 보다도 무서운 항암 실로 발길을 옮겨야 한다.

머리가 몽땅 빠진 다음 날 영등포 지하상가에 들러 모자를 하나 샀다. 추위를 막기 위한 방한용 털모자 외에는 모자를 써 본 적이 없는 터라, 이런 상황에서 어떤 모자를 써야 자연스러울지 몰라 중절모를 비롯해 그곳에 걸려 있는 모든 모자를 한 번씩 다 써 본 후에야 귀까지 덮을 수 있는 검은색 얇은 빵모자를 선택했다. 중절모가 빵모자에 비해 모양은 자연스러워 보였으나 뒷머리 부분이 훤히 드러나는 것이 문제였다. 짧으나마 머리카락이 있는 것과 그것이 아예 없는 것은 확연히 달라 보였기 때문이다. 지독한 병에 걸려 민둥산 머리가 된 것이 무슨 죄를 지은 것도 아닌데, 그때는 왜 그렇게 머리카락 없는 모습이 창피했는지 많은 세월이 지난 지금도 실소를 자아내게 한다.

예약 시간이 아직 조금 남아 있어 항암 실 옆에 있는 가발 파는 방을 먼저 들렀다. 지금 옆 방에서 항암 주사 맞고 있는 저들도 한 번쯤은 이곳을 다녀갔겠지. 처음 이 방에 들어섰을 때 그들의 심정도 지금의 나와 같았을까. 남들처럼 나이 먹으면서 자연스럽게 머리숱이 줄어들어, 어느 날 가발을 쓸지 말지를 놓고 가족과 친구들에게 의견을 물어보고, 또 어떤 모양의 가발을 하는 것이 나에게 어울릴까를 논의하며, 웃으면서 가발 집을 찾았다면 얼마나 좋았을까.

벽에 걸린 몇 개의 가발 중에 무심이 손이 가는 한 개를 집어 들고 머리에 써 보았다. 머리를 조여오는 강도가 여간 세지 않았다. 좀 약한 것을 찾으려다 말고 그냥 그곳을 빠져나왔다. 죽느냐 사느냐의 갈림길에서, 그것도 당장 잠시 뒤 항암 주사 맞을 일도 까마득한데, 이까짓 가발을 쓰고 안 쓰고에 특별하게 마음을 쓸 여유가 없었다.

지난번 1차 항암 때의 경험이 있어 2차 항암을 앞두고는 나름대로 준비를 철저히 했다. 가장 절실한 전략은 전날 밤에 잠을 최대한 자지 않는 것이었다. 항암 시간이 이런저런 주사까지 합쳐 대략 5시간 정도 걸리니까 그 고통스러운 긴 시간을 견디는 가장 좋은 방법은 잠에 곯아떨어지는 게 상책이었다. 콧속을 침투하는 약물 냄새가 아무리 역해도 일단 잠들어 버리면 그만이었다.

다음으로 준비한 것이 여러 종류의 과일이었다. 전날 아무리 밤을 꼴딱 새운다 해도 독한 약물은 5시간 내내 편안히 잠들도록 그리 호락호락 허락하지는 않을 것 같았다. 중간에 잠이 깼을 때를 대비한 플랜 B가 필요했다. 그 방안으로 달콤한 뭔가를 씹고 있으면 그나마 견딜 만할 것 같았다. 그런데 그 역겨운 약물 냄새를 효과적으로 잊게 할 씹을 거리가 무엇인지를 찾는 것이 또 과제였다. 일단 생각해 낸 것이 달콤한 사탕이나 과자류였으나 왠지 내키지 않아 다음으로 생각한 것이 과일이었다. 그런데 과일 중에서도 어떤 과일이 가장 효과적일지 몰라 사과 배 오렌지 포도 등 주위에서 쉽게 구할 수 있는 과일들을 종류별로 준비했다. 이 정도면 군인 시절 훈련받던 완전무장 못지않은 준비를 했다고 생각했으나 막상 항암 실 문 앞에 다다르자 오금부터 저려 왔다.

항암 실 내부 분위기는 1차 때와 크게 다르지 않았다. 땅이 꺼지도록 한숨만 쉬는 사람, 한쪽 무릎을 세운 채 두 손을 바닥에 대고 퍼질러 앉아 금방이라도 머리가 땅에 떨어질 듯 고개를 늘어뜨리고 있는 사람, 초점 없는 시선들, 납덩이처럼 무겁게 흐르는 침묵 또 침묵. 이제 곧 간호사가 다가와 팔뚝에 바늘을 찌르고 내 침대 머리맡에 큼직한 약물 단지가 매달리면 나도 저들처럼 절반은 죽은 사람 모습을 하게 되겠지.

그런데 그 순간 묘한 저항심이 생겨났다. 아니야 난 아직 젊어. 저들과 달라. 주위 사람들에게 저런 모습은 보이지 않겠어. 이제 겨우 2차 항암인데. 오늘을 위해 어젯밤에 악착같이 잠도 자지 않았고 과일도 종류별로 저렇게 산더미처럼 준비했잖아. 아니나 다를까 왼쪽 팔뚝에 바늘이 꽂히고 폭신한 침대에 눕자 곧 졸음이 쏟아졌다. 얼마나 시간이 흘렀을까. 주위의 부스럭거리는 소리에 어렴풋이 잠을 깼다. 그런데 완전히 깬 것은 아니어서 가능한 한 잠자는 시간을 더 늘려보려고 눈을 뜨지 않은 채 버티고 있었다. 그러나 한 번 깬 잠은 좀처럼 다시 잠들지 않았다. 어쩔 수 없이 이제는 눈을 떠야 한다. 다만 시간이 많이 흘렀기를 바랄 뿐이다. 그래서 머리맡에 걸려 있는 커다란 약병 속의 주사액이 조금만 남이 있길 바랄 뿐이다. 조용히 눈을 떴다. 그리고 제일 먼저 주사액 병을 확인했다. 그리곤 절망했다. 나름 푹 잤다고 생각했는데 기껏 한 시간 남짓이고 주사액은 삼 분의 일도 채 줄어들지 않았다.

앞으로 서너 시간은 더 견뎌야 한다. 갑자기 역한 냄새가 콧속으로 훅 파고들었다. 이 고통스러운 냄새를, 이 지루한 시간을 어떻게 하면 견뎌낼 수 있을까. 내 기분이 표정에 다 드러났는지 옆을 지키던 아내가 말없이 과일 통을 침대 위로 올려놓았다. 주위를 둘러보았다. 나랑 같은 처지의 환자들이 다섯 명이나 더 있다는 것과 표정으로 보아 그들은 나보다 더 힘들어하고 있다는 사실이 그나마 위안이라면 위안이었다.

과일 통을 무심이 봤다. 그것으로는 별 도움이 될 것 같지 않았으나 이것이라도 있는 게 그나마 다행이다 생각하고 배 한 조각을 입속에 넣었다. 두통과 역한 냄새 때문에 배 본래의 맛이 아니다. 그냥 씹는 것이다. 방울방울 떨어지는 약물의 투입 속도를 왜 최대치로 높이지 않는 건지, 간호사가 주사액 투입 속도를 체크 하기 위해 내 침대를 방문할 때마다 그녀가 원망스럽다. 또다시 과일 통에 손이 간다. 그것 말고는 달리 할 것이 없다. 어느덧 과일 통이 바닥을 보이기 시작하는데 커다란 유리병 속의 주사액은 아직도 많이 남아 있다. 3차 때는 과일을 아예 상자째로 들고 와야겠다.

어느덧 초겨울로 접어든 탓인지 대장내시경 검사와 항암을 모두 끝내고 나니 벌써 땅거미가 지고 있었다. 대기하는 시간까지 포함해서 대장내시경으로 두 시간, 항암 주사실에서 다섯 시간, 합해서 일곱 시간을 시달리고 나니 몸이 파김치가 되어 있었다.

사실 아침에 집을 나설 때 승용차를 가지고 갈지 아니면 대중교통을 이용할지를 두고 고심했다. 1차 항암 때도 직접 운전해서 갔다가 왔으니까 이번 2차 때도 괜찮을 것 같았다. 그런데 그게 잘못된 판단이었다.

1차 때는 첫 항암이니까 당연히 몸이 멀쩡했고 2차 때는 1차 항암의 후유증을 그대로 안고 병원에 왔기 때문에, 항암이 끝난 후 몸 상태에 차이가 나는 것은 사실 예견된 일이었다. 1차 항암을 하고 나서 2주가 경과 할 때까지만 하더라도 이후 항암 하러 병원에 갈 때는 대중교통을 이용해야겠다 생각했었다. 그러나 회복기인 3주차를 넘기면서 몸 상태가 조금 좋아지자 그만 자만심이 생겨버린 것이 문제였다. 조금 살만해지니까 힘들었던 앞의 시간을 그만 망각하고 만 것이다.

1차 때와 같이 수액 병을 기울여 마지막 한 방울까지 투여하고 나서 침대에서 몸을 일으키는데 나도 모르게 몸이 휘청하면서 머리가 핑 돌았다. 온몸의 기력이 모두 빠져나간 느낌이었다. 이제 집으로 돌아가야 하는데 지하 주차장에 세워 둔 자동차가 문제였다. 운전할 자신이 없었다. 그대로 두고 가자니 다음 항암 할 때까지, 아니 어쩌면 항암 치료가 모두 끝날 때까지, 최악의 경우 항암에 실패하고 죽음의 길로 들어선다면 그 승용차는 영원히 병원 지하 주차장에 세워둬야 할지도 몰랐다. 선택의 여지가 없었다. 어지럽지만 일단 시동을 걸고 조심조심 자동차를 움직이기 시작했다. 이 자동차를 안전하게 우리 집 주차장까지 이동시키는 방법은 깜빡이를 켜고 최대한 저속 주행하는 방법밖에 떠오르는 것이 없었다.

"빵-빵" "빵-빵"

내차 꽁무니에 있는 차들이 계속해서 경적을 울리고 난리다. 뒷유리에 초보운전 표지가 안 붙었는데도 속도가 지나치게 느리니 이해 못할 것도 없었다.

오늘 받은 처방전에는 1차 항암 때와 비교해 콜레스테롤 수치를 낮추는 약이 하나 더 들어 있었다. 잘 먹어야 한다는 의사 선생님 말씀 때문이 아니라, 자고 있어 나면 쑥쑥 빠지는 체중계 숫자를 보면 입맛 따위를 논할 겨를이 없었다. 무조건 먹어야 했다.

1차 항암 2주째쯤 해서 커다란 스텐 통 하나를 들고 아내가 노량진 수산시장을 다녀왔다. 몇 시간쯤 뒤에 귀가한 아내의 손에 들린 스텐 통 속에는 팔뚝만 한, 게다가 살아서 금방이라도 통 밖으로 뛰쳐나올 듯이 몸부림치는 민물 장어가 한가득 담겨 있었다. 그리고 또 다른 하나의 그릇에는 손질된 구이용 장어가 역시 가득 담겨 있었다. 스텐 통 속의 장어들은 살아 있는 그대로 불 위에 올려졌다. 스텐 통이 달궈지면 뜨거워 통 밖으로 뛰쳐나오려는 장어들과 뚜껑을 꽉 눌러 탈출을 막으려는 인간과의 비정한 한판의 승부가 펼쳐졌다. 그렇게 4시간 정도 고아진 후 뚜껑을 열면 장어의 모습은 흔적도 없고 걸쭉한 회색빛 나는 죽 같은 액체만 남았다. 그 끈적한 것을 다시 삼배 보자기로 짜면 가시 같은 이물질이 걸러지고 훨씬 깨끗한 장어즙이 나오는데 그것을 냉장고에 넣고 보관하면서 다음 항암 때까지 아침저녁 하루 두 번씩 먹었다. 장어의 수난은 여기서 끝이 아니다. 노량진 수산시장에서부터 손질된 채 집으로 온 구이용 장어는 하루 세 번 끼니때마다 구워진 채 식탁 위에 올라왔다.

돌이켜보면 4기 암 판정 소식에 아무리 다급해도 그렇지, 어떻게 그 커다란 장어들을 산채로 불 위에 올릴 생각을 했는지 생각할수록 미안하고 또 미안하다. 그것도 항암 할 때마다 그렇게 했으니 나 하나 살겠다고 모질게 죽임을 당한 수많은 장어의 원성이 아직도 우리 집 스텐 통 속에 머물러 있는 것 같다. 모든 생명체는 영혼이 있다는데, 훗날 내가 죽어 혹시라도 그 시절의 장어 무리를 만난다면 그때 내가 불 위에 올라가는 것이 아닐까 걱정된다. 그때 먹은 엄청난 양의 장어에 질려선지, 아니면 장어에 대한 최소한의 양심의 가책이 남아선지는 잘 모르겠으나 아무튼 난 지금도 장어 파는 음식점에는 잘 가지 않는다.

장어즙과 구이는 하루 먹는 양의 일부에 불과했다. 끼니때마다 밥 한 그릇씩과 최고 품질의 한우 살코기 로스구이는 기본이고, 끼니 사이 사이에 삶은 달걀 두 개씩과 시간 날 때마다 어죽이며 삼계탕 집도 방문하고, 그것도 모자라 빵과 과자까지 좌우간 눈에 보이는 것은 모조리 먹어 치웠다. 조금 과장되게 말하면 잠자는 시간을 제외하면 종일토록 먹는데도 몸무게는 겨우 현상을 유지했다. 어쩌다 먹는 것을 소홀히 한다 싶은 날은 체중계의 바늘이 그 사실을 정확히 지적해냈다.

음식 맛은 1차 항암 때부터 진작에 포기한 상태였는데, 사실 항암이라는 것이 배가 아프다거나 신체의 어느 특정 부위가 심하게 고통스러운 것은 아니다. 다른 고형암은 어떤지 모르나, 나 같은 경우는 항암 기간 내내 항상 멀미 증세가 있는 것이 힘들었다. 그러니 입맛이 있을 리 만무했다. 사정이 이쯤 되다 보니 '음식을 먹는다'는 표현보다는 그냥 '입 속에 집어 넣는다'는 표현이 더 옳을 듯싶고, 음식 섭취는 그냥 치료의 일환으로 보는 것이 더 어울릴 것 같았다. 그런데 희한한 일은 그렇게 종일토록 먹는데도 체중은 늘지 않고 콜레스테롤 수치만 올라가고 있다는 사실이었다. 의사 선생님이 콜레스테롤을 떨어뜨리는 약을 처방하면서도 별다른 말이 없는 것으로 보아 그저 나도 남들과 같은 길을 가고 있다는 느낌이 들었다. 다만 그 길이 살아나는 길이기를 기도하면서.

새로운 도전의 시작

문득 시계를 보니 작은딸 아이가 학교에서 돌아올 시간이 다 되었다. 아차 싶어 급히 몸을 일으키는데 또 머리가 핑 돈다. 조심조심 차를 몰아 10분 정도 거리에 있는 학교 정문에 도착하니 딸아이가 기다리고 있었다.

"아빠, 힘들 텐데 안 와도 된다니까…"

딸아이는 말은 그렇게 해도 싫은 기색은 아니다.

2차 항암을 마치고 돌아오는데 자꾸만 구토가 나올 것 같았다. 어지럼증이야 어떻게 견디겠는데 속이 메스꺼운 것은 정말 신경이 쓰였다. 차에서 토하는 건 상상하기도 싫다. 어떻게든 집까지는 참아야 한다. 속력을 올리자니 머리가 어지럽고 천천히 가자니 구토가 문제였다. 이러다 교통사고라도 나면 어떡하지. 의자를 바싹 당기고 핸들을 꽉 잡았다. 그리고 최대한 정신을 운전에만 집중시켰다. 그래도 혹시나 몰라 가장 바깥 차선을 선택했다. 도저히 참을 수 없어 토를 하기 위해 차를 세운다면 도로 가장자리가 조금이라도 다른 이에게 피해를 덜 줄 것 같았다. 직선 도로를 달릴 때는 그나마 견딜만한데 커브는 정말 괴로웠다. 퇴근 시간인데도 하늘이 도왔는지 길이 그다지 막히지 않았다. 천신만고 끝에 집에 도착하고 보니 온몸은 땀으로 범벅이 되어 있었고, 간단히 샤워를 끝내자 그대로 침대 위에 쓰러지고 말았다.

늘 어지럽고 늘 피곤했다. 항암 첫 주는 구토를 억제하는 약과 스테로이드제 덕분에 그럭저럭 견딜만한데 그 약들이 모두 끊겨버리는 두 번째 주가 되면 몸은 정말 나락으로 떨어지는 듯했다. 그런데 정작 힘든 것은 외로움과 두려움이었다. 식탁에 둘러앉은 두 딸을 보는 아침 시간이 하루 중 유일하게 외롭지 않은 시간이었다. 아내와 두 딸 모두 직장으로 학교로 가 버리고, 베란다 그 큰 통유리로 아침 햇살 한가득 밀려들 때면, 오늘 하루는 또 어떻게 보내야 하는지를 몰라 하염없이 먼 산만 바라보곤 했다. 이것도 사는 것일까. 살 수는 있을까. 외로움은 어느덧 두려움으로 다가오고, 그것이 무서워 나도 모르게 머리를 감싸 안으면 밀려든 서러움과 억울함은 어느새 뜨거운 폭포수가 되어 쏟아지곤 했다.

"아빠, 오늘도 심심했지. 식사는 잘했어? 힘드니까 천천히 가자."

딸아이는 차에 오르자 이런저런 말을 건넸다. 그 말들이 오늘 아침 시간 이후 처음 듣는 사람의 소리다. 암 4기라는 소식이 퍼지고 처음 얼마간은 친구 친지들로부터 용기도 주고 함께 걱정도 해주는 전화가 왔다. 그런데 한 달쯤 지나면서 전화벨 소리가 눈에 띄게 줄어들더니 두 달째로 접어들면서부터는 평일 낮 시간대에는 아예 전화 소리가 자취를 감춰 버렸다.

집에 틀어박혀 있으면서 해야 할 일이 두 가지가 있는데 하나는 시간 맞춰 약이나 음식을 먹는 것이고 또 다른 하나는 둘째 딸아이 하교 시간에 맞춰 데리러 가는 것이었다. 피곤하고 몽롱했지만, 그리 멀지 않은 거리라 천천히 운전하면 가능한 일이었고 또 그것만이 하루 중 내가 유일하게 살아있음을 느끼게 하는 일이었다.

어쩌다 외출할 때는 귀까지 덮이는 빵모자를 쓰지만, 집에 들어오면 바로 모자를 벗고 거울을 보는 것이 습관화 되어 있었다. 처음엔 거울에 비친 민둥산 머리에 너무 마음이 아파 거울 보는 것을 자제해야겠다고 몇 번이고 다짐했으나, 그럴수록 더 궁금하고 더 보고 싶어져 어느 순간부터는 그냥 포기하고 말았다.

학교가 끝나는 시간에 맞춰 데리러 가겠다고 처음 제안했을 때 난 딸아이의 눈치를 살폈다. 나도 보기 싫은 내 민둥산 머리를 딸아이도 부담스러워할 게 뻔했다. 빵모자에 비밀스럽게 감춰진 민둥산 머리에다 날이 갈수록 푸석해지는 아빠의 모습을 친구들이 볼지도 모른다고 혹시 불안해할지 모르는 일이었다. 딸아이를 데리러 간 첫날, 걱정이 한낱 기우에 불과했음을 알았다.

그러던 어느 날 문득 생각 하나가 뇌리를 스쳐 지나갔다. 지금 내 모습이 이도 저도 아닌 아주 한심한 모습이라는 생각이 들었다. 병을 치료한다는 것이 병원에만 모든 걸 맡기고 난 아무것도 하지 않아도 되는 것 인지 궁금했다. 흔한 감기 한 번 걸려도 지켜야 할 주의 사항이 여러 가지인데, 하물며 암에 걸린 사람이 이렇게 맥 놓고 신세타령만 해서야 무슨 도움이 될까 싶은 생각이 들었다. 스스로 노력으로 뭔가를 해야 하지 않을까. 무엇을 할 수 있을까. 늘 속이 울렁거리고 늘 피곤한 내가 무엇을 해야 치료에 조금이라도 도움이 될까. 한 가지는 확실히 하고 싶은 것이 있었다. 바로 외로움과 두려움에서 벗어나는 것이었다. 하고 싶은 것이 아니라 무엇보다 시급히 해야 하는 것이기도 했다. 그런데 어떻게 해야 외로움과 두려움에서 벗어날 수 있을까. 생각에 생각을 거듭한 끝에 얻은 결론은 새로운 어떤 것에 몰두하는 것이고, 그 새로운 어떤 것으로는 기타를 배우는 것으로 가닥을 잡았다.

난 성격이 외향적이다. 그냥 적당히 외향적인 게 아니라 서울 시민을 외향적 수치를 기준으로 한 줄로 세운다면 내가 앞에서 10등 안에는 충분히 들 정도로 외향적이다. 그러다 보니 사람들을 좋아하고 사람들과 어울리는 것을 좋아한다. 난 암에 걸릴 때까지 사람들과 어울려 술 마시는 것과 노래방 가는 것을 좋아했다. 앞에서 언급했듯이 삼겹살집에서의 술자리는 퇴근 후 하나의 일과로 자리 잡았다고 할 정도로 빈번했고 그런 술자리가 있는 날은 또 어김없이 노래방으로 2차가 이어졌다. 나와 같이 노래방에 갔던 사람들은 대부분 즐거워했는데 그 핵심적인 이유가 분위기를 흥겹게 이끄는 나의 탁월한 능력 때문이라고 스스로 믿고 있었다. 그리고 그 탁월한 능력을 뒷받침하는 무기가 있었으니 그게 바로 탬버린이었다. 노래에 흥을 돋우기 위해서 기본적으로 필요한 것은 박수다. 그러나 시끄러운 노래방에서 박수로만 흥을 돋우려다 보면 손바닥이 남아나지 않는다. 이때 잘 들리지도 않는 박수 대신 탬버린을 치면, 그 두드리는 강도에 따라 짱짱하게 들리는 노래 가사와 엇비슷한 음량을 만들어 낼 수가 있다.

탬버린이 박수 대용이라 해서 절대 만만하게 볼 게 아니라 나름의 공부해야 할 몇 가지 요령과 질서가 있다. 먼저, 노래방에서 탬버린을 덥석 잡으려면 그 시대에 유행하는 노래들에 대한 박자에 자신이 있어야 한다. 박수는 잘 들리지도 않아서 남이 부르는 노래에 엇박자가 나도 은근슬쩍 넘어갈 수 있지만, 탬버린은 그 소리의 정도가 결코 가벼이 여길 수 없는 정도여서 어느 한순간 엉뚱한 타이밍에서 '챙~'하는 소리가 노래방 안에 울려 퍼져버리면, 열창하고 있던 사람에게는 물론이고 그 방에 있던 모든 사람을 당황하게 만드는 정말 어색한 분위기를 만들 수도 있기 때문이다.

박자 맞추기에 자신이 있다고 해서 탬버린 마스터가 되는 것도 아니다. 다음으로 공부해야 할 덕목은 분위기를 읽을 줄 알아야 한다. 한번 상상해 보라. 노래방에 들어가자마자 처음부터 탬버린을 휘둘러댄다면 분위기가 오히려 불편하지 않겠는가. 처음에는 손뼉으로 가다가 자연스럽게 탬버린을 등장시킬 가장 적절한 타이밍을 캐치하는 것도, 웬만큼 시간과 노력을 투자하지 않으면 얻을 수 없는 기술이다. 마지막으로 탬버린 마스터가 지녀야 할 덕목은 흥을 돋우는 요령이다. 다시 한번 상상해 보라. 처음부터 끝까지 탬버린을 손바닥에만 부딪히는 일관된 동작만 반복하는 사람과, 엉덩이 팔꿈치 등 신체의 여러 곳을 활용하는 사람 중에 어느 쪽이 더 분위기를 살릴 수 있겠는가. 이 역시 오랜 경험에서 나오는, 결코 가벼이 여길 수 없는 영역이라 하겠다. 따라서 탬버린 마스터가 된다는 것은 예술의 경지까지는 아니라 하더라도, 비용과 노력 면에서 상당한 투자가 요구되는 것임에는 틀림이 없다.

사람이 하는 놀이나 스포츠는 크게 나누어 손으로 하는 것과 발로 하는 것이 있다. 그런데 난 이상하게도 발로 하는 것에는 나름대로 소질이 있는데 손으로 하는 것에는 소질도 관심도 크게 떨어진다. 이를테면 만들기나 야구같이 손으로 하는 놀이나 운동은 도무지 관심이 가지 않고, 달리기나 축구같이 발로 하는 놀이나 운동은 종일 해도 피곤한 줄 모른다. 사정이 이러하다 보니 손으로 하는 악기는 아예 배울 생각조차 못 하고 있었다. 비록 탬버린을 잘 다룬다고는 하나 사실 그것은 악기라기보다는 그냥 놀이 도구라고 보는 게 더 어울릴 것 같다.

그런데 이제 항암으로 인한 외로움과 두려움에서 벗어나려는 방편으로 기타를 배우려고 하는 것이다. 2차 항암 회복 주 어느 날 기타 하나를 구매했고, 집에서 그리 멀지 않은 거리에 다행히 기타 학원이 있어서 수강 등록을 했다. 수강생들이 나보다 한참 어린 중고등학생들이 대부분이었지만 어질어질한 정신을 집중시키고 차가운 철 샷줄에 손가락을 걸쳐가며 코드 잡는 법을 익혀 나갔다.

"일어나~ 일어나~ 다시 한번 해 보는 거야~ 일어나~ 일어나~ 봄에 새싹들처럼~"

그동안 몇 가지 곡을 배웠으나 김광석의 '일어나'노래가 가장 가슴에 와닿았다. 오십을 바라보는 나이에 처음 기타를 배운다는 것이 그렇게 녹록지 않았다. 강의는 일주일에 한 시간 정도에 불과하고, 강의 시간을 제외하면 그냥 혼자서 전 시간에 배운 코드 잡는 법과 치는 주법을 연습하는 것으로 수강 과정이 짜여 있었다. 연습 시간 이 그렇게 많은데도 코드 바꿔 잡는 데 걸리는 시간은 좀처럼 줄어 들지 않았다. 나이가 들어 손놀림이 굳어 버린 것도 문제지만 어지 럼증과 피곤함 때문에 진득하게 집중하지 못하는 것이 더 큰 문제였 다.

어차피 남아도는 게 시간이고 또 그것 말고는 마땅히 할 것도 없 어 기타 잡고 놓기를 수도 없이 반복해도 가족들은 돌아오지 않았 다. 그러다 지쳐 거실 바닥에 아무렇게나 팽개쳐져 있는 기타를 물 끄러미 바라보고 있으면 '저놈도 하필이면 나 같은 주인을 만나 고 생이 많구나'라는 생각이 들곤 했다.

코드 잡는 법이 어느 정도 익숙해지자 어설프지만, 기타 반주에 맞 춰 노래를 부르기 시작했다. 일어나, 일어나, 다시 한번 해 보는 거 야. 일어나, 일어나, 봄에 새싹들처럼. 이 노래는 삼절까지 있는데 끝까지 부른 적이 드물었다. 노래는 내가 부르고 있는데 마치 누군 가가 나에게 널브러져 있지 말고 다시 일어나라고 애타게 부르짖는 것 같아, 부르는 도중에 목이 메기 일쑤였기 때문이었다.

정말 봄에 새싹들처럼 다시 일어날 수 있을까. 노래는 주로 집안이 텅 비는 낮 시간대를 이용해 불렀다. 노래 가사가 내 처지를 어찌나 정확히 대변해 주는지, 다른 가족이 들려지는 노랫소리에 행여 마음 아파할까 그것이 싫었다. 한번은 집안에 가족들이 모두 있어 작은 방에 몰래 들어와 '일어나' 노래를 기타 반주와 함께 연습한 적이 있었다. 노래 연습이 끝나고 거실로 나와 주방 쪽을 바라보는데 눈 을 비비면서 돌아서는 아내의 모습을 보고 말았다. 나름 신경을 써 서 작은 목소리로 불렀는데도 노래 가사가 기어이 아내의 귀에 들려고 말았던 것이었다.

노랫소리를 들으며 아내는 무슨 생각을 했을까. 일어나겠다고, 다시 일어나고야 말겠다고 악착같이 삼절까지 다 부른 나를 어떻게 바라봤을까. 한 가정의 가장으로서 끝까지 믿고 모든 걸 맡길 수 있는, 심지 굳고 책임감 있는 우직한 사람으로 여겼을까. 아니면 거센 물살에 휩쓸려가며 한 가닥 지푸라기라도 잡아보려고 애쓰는 불쌍하고 가련한 모습으로 비쳤을까. 약한 모습 보이지 않으려 마지막까지 태연함을 견지하다 벌컥 열린 방문 앞에 불쑥 나타난, 초췌해질 대로 초췌해진 남편의 몰골에 무너져내리는 표정 감추려 급히 몸을 돌리는 아내의 뒷모습이 애처로웠다.

그녀 위에 얹혀있는 천근 같은 납덩이를 어떻게 하면 내려놓을 수 있을까. 언제쯤이면 내려놓을 수 있을까. 암 선고 이후 그녀에게 한 번이라도 편한 잠자리가 있었을까. 어느덧 중년의 나이에 두 딸을 뒷바라지하며 직장 생활하는 것만으로도 힘에 부칠 텐데, 도움은 고사하고 그녀의 삶에 납덩이 하나 얹어주고 말았으니 미안하고 면목 없어 조용히 발길을 돌렸다.

어리석은 수명 연장

장인어른이 돌아가셨다는 비보가 들려왔다. 점심 식사하시고 평소대로 낮잠을 주무시러 방으로 들어가셨는데 한참이 지나도 기척이 없어 들어가 보니 이미 숨져 있었다고 한다. 사인이 심장마비라고는 하지만 멀쩡하던 사람이 그렇게도 갑자기 세상을 떠날 수 있는지 이해가 되지 않았다. 연세도 그다지 많지 않고 특별히 편찮은 데도 없는 분이어서 소식을 접한 가족 친지들은 충격을 넘어 그저 멍하게 서로를 바라볼 뿐이었다. 장인어른은 다른 사위들보다 둘째 사위인 나를 특별히 좋아하셨다. 적어도 난 그렇게 생각하고 있었다. 그래서 그런지 나 또한 그분을 존경했고 호칭도 '장인어른' 대신 '아버님'이라 불렀다. 고구마밭에서 처음 배를 움켜잡고 주저앉던 날에도 아버님은 누구보다 걱정하시며 꼭 진찰 결과를 알려달라고 당부하셨다.

4기 암 판정받고 수술과 항암이 결정되던 날, 난 침착한 목소리로 아버님께 전화했다. 기회가 생겨 미국으로 연수를 가게 되었다고. 그래서 한동안은 뵐 수 없게 되었다고. 그런데 돌아가셨다는 비보가 날아든 것이다. 미국 가서도 자주 소식 전하라는 목소리가 아직도 생생한데, 당신이 사랑하셨던 둘째 사위의 암 소식을 듣지 않고, 병든 얼굴도 보지 않은 채 가신 것을 그나마 위안으로 삼아야 할지 가슴이 무너져 내렸다.

장인어른이 모르고 계셨으니 장모님도 나의 암 소식을 모르고 계셨다. 장례식 마지막 절차인 입관식이 있던 날 장인어른의 마지막 가시는 모습은 지켜야 할 것 같아 빈소를 찾았다. 장모님은 병든 모습을 넘어 갑자기 이상해진 나의 모습을 보시고는 이게 어찌 된 일이냐며 내 얼굴을 한참 동안 쳐다만 보셨다. 갑자기 홀로 되신 것도 기가 막힐 텐데 둘째 사위마저 암에 걸렸다는 사실까지 알게 되셨으니 난 죄송스러워 고개를 들 수 없었다.

자동차로 2시간 정도 걸리는 한 추모공원에 장인어른을 모셨다. 제를 지내고 저희를 잊지 마시라고 가족사진도 붙이고 당신이 즐겨 쓰셨던 붓글씨 액자도 걸어 두었다. 큰일을 끝낸 가족들이 한자리에 모여 이런저런 얘기를 나누는 동안 난 혼자 빠져나와 추모공원 이곳 저곳을 둘러보았다. 실내에 있는 각 실에도 많은 유골함이 있었지만, 실외에도 수목장에 이용된 어린 묘목들이 많이 보였다. 아침부터 장례 절차에 참석하고 또 먼 거리를 여행한 터라 몸은 고단하고 머리도 맑지 못해서 컨디션 조절 겸 실내 유골함들을 둘러보고 있었다.

이분은 무슨 사연이 있어서 한 줌의 재가 되어 이곳에 계실까. 또 이분은…. 그렇게 한 사람씩 체크 해 나가는데 어느 순간 나 자신에 대해 깜짝 놀랐다. 유골함에 기록된 출생 연도와 사망 연도를 통해 이분들이 몇 살까지 살다가 돌아가셨는지를 계산하고 있었던 것이었다. 추모공원이란 곳을 처음 와 봤고, 다들 사정이 있어 이곳에 왔을 텐데 남들이 몇 살까지 살았는지 관심을 가질 이유는 어디에도 없었다. 그런데도 난 나도 모르게 이분들이 몇 살까지 살다가 저세상으로 갔는지 열심히 계산하고 있었다.

'이분은 안타깝게도 마흔 살까지 사셨네.'

'이분은 여든다섯까지 사셨으니 이 정도면 천수를 누린 거지.'

내가 놀란 진짜 이유는 이분들 중 생존한 기간이 현재 내 나이보다 적은 유골함을 발견할 때는 안타까운 마음보다 묘하게도 기분이 좋아지는 것이었다. 그때 알았다. 죽음이 널려 있는 이곳 추모공원에서 나에게도 죽음이 곧 닥친다는 사실을 나도 모르게 느끼고 있다는 것을.

처음 암에 걸렸다는 소식을 들었을 때 많이 억울했다. 사람은 어차피 한 번은 죽으니까 죽는다는 사실 자체에는 억울하지 않았다. 문제는 너무 일찍 죽는다는 것이었다. 온갖 TV 프로그램이나 뉴스에는 백세 시대가 어떻고 고령화 시대가 어떻고 하는데, 고령이나 평균 수명까지는 아니라 하더라도 요즘 세상에 칠십은 넘겨야 최소한 억울한 마음이 안 들지 않겠는가. 겨우 마흔 몇 살에 생을 마감한다는 것은 아무리 생각해도 억울하고 원통했다.

며칠을 끙끙대다가 그 억울함을 벗겨줄 방법을 나름대로 생각했다. 바로 잠을 줄이는 것이었다. 잠을 자는 동안은 죽은 거나 다름없으니까 자지 않고 깨어있는 시간이 많으면 똑같이 십 년을 살아도 잠을 덜 잔 사람이 더 오래 산 것이라고 생각했다. 생각이 여기에 이르자 밤에 잠을 안 자고 버티는 훈련을 하기 시작했다. 약물에 절어 고단해진 몸을 침대에 눕히지 않으려고 많은 방법이 동원되었다. TV를 보다가 졸리면 인터넷 바둑을 두고, 인터넷 바둑을 두다가 졸리면 다시 TV를 켰다. 그런 소극적인 방법들이 안 통할 때는 두툼한 외투를 걸치고 아예 밖으로 나왔다. 그리고 겨울 밤거리를 무작정 걷기 시작했다. 아프기 전 늘 어울리던 술친구들한테 전화해 볼까도 생각했으나 한 번도 실행에 옮기진 않았다.

암에 걸렸다는 소식이 퍼지자 주위에 그 많던 술친구들이 순식간에 사라졌다. 갑자기 세상에 혼자 남겨진 것 같아 한 번은 술자리에 슬그머니 나간 적이 있었다. 그때는 항암 초기여서 아직 병색도 깊어 보이지 않고 체력도 어느 정도 남아 있어서 여러 명이 모이는 모임에 나가 앉아 있었다. 처음에는 나의 딱한 사정에 대해 다들 한마디씩 위로도 하고 또 술을 못 먹게 된 점에 대해서도 안타까워하며 한참 동안 숙연한 분위기가 이어졌다. 그러나 술잔이 몇 순배 돌면서 처음의 침착하던 분위기가 점점 엷어지더니 어느 순간부터는 그들 본래의 시끌벅적한 모습을 보이기 시작했다. 그리고 저 끝에 외로이 앉아 청량음료만 홀짝이는 나의 존재는 까맣게 잊은 듯했다. 대화는 자연스럽게 술잔을 주고받는 그들 사이에서 활발히 이루어졌고 난 그런 모습들을 그저 물끄러미 지켜보았다. 그들이 나누는 대화를 가만히 듣고 있자니 한 가지 특이한 점을 발견할 수 있었다. 바로 좀 전에 했던 얘기를 또 하고 또 하는 것이었다. 같은 얘기를 반복하는데도 말을 하는 이나 듣는 이나 별로 개의치 않고 그저 즐거운 표정들이다. 같은 말을 다시 하는 이는 바로 몇 분 전에 자신이 이미 같은 내용의 말을 했다는 사실을 술에 취해 잊은 걸까, 아니면 왁자한 분위기에서 상대방이 못 들었을 것으로 생각하고 배려 차원에서 또 얘기하는 것일까. 얘기를 듣는 이에 대해서도 궁금하기는 마찬가지다. 반복되는 얘기임을 알면서도 화자를 배려해서 그저 처음 듣는 얘기 인양 묵묵히 듣고 있는 것인지, 아니면 역시 술에 취해 정말 처음 듣고 있는 것으로 생각하는지가 궁금했다.

그렇게 시간 가는 줄 모르고 즐겁게 대화하는 모습을 바라보고 있자니 '아! 나도 한창 술 마시고 쏘다닐 때 분명 저런 모습을 보였겠구나.'하는 생각이 들었다. 그리고 다음 날 저들 중 '너 왜 어제 모임 때 같은 말을 여러 번 했니?'라고 따질 사람은 한 사람도 없을 거라는 확신이 들었다. 왜냐하면 나 또한 그렇게 따진 기억이 없기 때문이다.

사정이 이쯤 되고 보니 옛 술친구들과의 모임은 자연히 멀어져 갔다. 한두 번 더 모임에 나갔었으나 병색 짙은 모습을 한 나를 그들은 부담스러워했다. 어떤 때는 너무 외롭고 옛날이 그리워 그들 모임에 한번 슬쩍 끼어 볼까도 생각했으나 내 모습만 더 초라해질 뿐, 자존심이 허락하지 않았다.

이렇게 밤거리를 헤매며 잠과의 사투를 벌이고 있는 지금도 그들은 어느 곳엔가 모여 같은 이야기를 반복하고 있겠지. 어디로 가야 하나. 어디로 발길을 돌려야 오늘 하루를 더 살 수 있을까. 저 많고 화려한 불빛 중에 나를 향해 손짓하는 곳은 어떻게 한 곳도 없을까.

밤잠을 줄이려는 눈물겨운 노력의 결과는 대단했다. 처음에는 아무리 참아도 밤 11시에는 잠자리에 들었는데 그 시간이 차츰 늦어지더니 어느 날은 새벽 두 시가 되었는데도 멀뚱멀뚱 깨어있는 자신을 발견할 수 있었다. 깨어있다고 해서 특별히 의미 있게 시간을 보내는 것도 아니었다. 초점 없는 눈을 그저 TV 화면에 고정해 놓거나 그것도 귀찮으면 배란다 창밖으로 보이는 자동차 불빛들을 멍하니 바라보곤 했다. 물론 밤잠을 줄이는 대신 낮잠을 잤지만, 절대적인 시간만 비교해 보면 이득이었다. 즉 밤잠을 세 시간 줄였으면 낮잠도 세 시간을 자야 형평이 맞는데 낮잠은 소음이나 어둡지 않은 환경 때문에 기껏해야 한 시간을 넘기기가 힘들었다. 그리고는 스스로 만족해했다. 수면의 질은 따지지 않은 채 오늘도 몇 시간은 더 살았다고.

그렇게 나날이 수명을 연장해 가는 것에 대해 뿌듯해하던 어느 날 무심코 몸무게를 체크 해 보았다. 한 달 만에 3킬로그램이 빠져 있었다. 체중계의 숫자를 확인하고 나서야 비로소 바보짓이었음을 깨달았다. 수명을 연장하고 있었던 게 아니라 오히려 단축하고 있었다. 정신이 번쩍 들었다. 생각할 것도 없이 본래의 몸무게로 돌려놓는 것이 급선무였다. 그러려면 정상적인 생활, 즉 밤에 잠을 충분히 자는 것이었다. 그러나 한 번 훈련된 수면 체계는 좀처럼 과거로 돌아가려 하지 않았다.

열 발짝 그리고 스무 발짝

3차 항암 받는 날 오전, 외래진료를 앞두고 질문 하나를 할까 말까를 두고 한참을 고민했다. 그러나 밑져봐야 본전이란 생각에 질문을 하기로 마음을 먹었다.

"저~ 선생님, XX 바이오 치료를 병행하면 안 될까요?"

그러나 의사 선생님의 반응은 예상을 뛰어넘어 당황스럽기까지 했다.

"그런 것에 관심 가지시려면 다른 병원으로 가십시오."

뒤이어 마치 추궁이라도 하는 듯한 질문이 이어졌다.

"도대체 누구한테 그런 얘기를 들었습니까?"

기타 강습은 달포를 넘기지 못하고 포기했다. 포기 당했다는 표현이 더 정확할 것 같다. 항암 부작용 때문이었다. 머리털이 몽땅 빠졌다는 사실은 잊은 지 오래다. 항암이 계속되면서 머리털뿐만 아니라 몸에 있는 모든 털이 사라지기 시작했다. 수염, 눈썹, 겨드랑이털은 말할 것도 없고 속눈썹, 코털, 손가락에 나 있던 털까지 모조리 잔인할 정도로 털들이 사라져갔다. 그때는 매일 하던 면도를 할 필요가 없었는데 돌이켜 보면 그것과 이발 비용이 들지 않았다는 것 두 가지만이 항암 부작용 중 긍정적인 요소로 기억되고 있다. 왜 털이 다 빠지는지 의학적인 지식은 부족하지만, 항암 약이 암세포를 죽이기 위해 새롭게 분열되는 모든 세포의 활동을 억제하다 보니 그 작용이 모든 피부 세포에도 영향을 미치기 때문으로 추측이 된다.

몸에 나 있던 모든 털이 없어지는 것은 그냥 현상에 불과한 것이지 고통스러운 것은 아니다. 피부 세포가 솜털 하나조차 지킬 수 없을 정도로 약해지자 다음 단계는 가장 말초에 해당하는 손발이 저리기 시작했다. 저린 손가락을 어떻게든 잊어보려고 기타 철삿줄을 눌러 가며 코드를 잡아보았지만, 그때마다 손가락이 마치 퉁퉁 부은 느낌이 드는가 하면 저림이 몇 배로 증가하는 것 같아 더 이상의 연습이 불가능했다. 세상에 혼자만 버려진 것 같은 두려움과 외로움을 잊으려 늦은 나이에 시작한 기타 배움은 그렇게 막을 내리고 말았다. 이후 지금까지 집 안 한쪽 구석에 비스듬히 한자리 차지하고 있는 기타를 볼 때마다, 저걸 누구한테 줘 버릴까 생각하다가도 가족 누군가가 들을까 겁나 목소리 죽이고 울컥울컥 올라오는 서러움을 억눌러가며 '일어나~'를 부르던 시간 들이 생각나 함부로 내 눈앞에서 치워버릴 수가 없다.

기타 치기를 포기 당하자 두려움이 한층 더 무겁게 다가왔다. 오늘은 또 무엇에 정신을 팔아야 손발 저림의 고통을 잊고 긴긴 하루를 넘길 수 있을까. 썩 내키지 않지만 어쩔 수 없이 또 인터넷 바둑 프로그램에 접속을 한다. 난 오래전부터 인터넷 바둑을 즐겨왔다. 물론 부풀려지기는 했으나 2~3단 정도 두니까 실력이 그리 나쁜 편도 아니다. 그러나 항암이 시작되고 나서는 가능하면 바둑을 두려고 하지 않는다. 바둑판에 집중해야 하는데 늘 멀리 증세가 떠나지 않고 요즘은 손발까지 저리니 승부에서 판판이 지기가 일쑤다. 조금씩 실력이 낮아지더니 어느덧 2급을 지키기도 벅차다. 그러나 그것 말고는 정신을 쏟을 곳이 없다. 어제보다 컨디션이 더 안 좋으니 오늘은 처음부터 3급을 신청해야 하나. 3단까지 두던 내가 어쩌다 3급을…. 도저히 자존심이 허락하지 않는다. 이럴 바에는 차라리 바둑을 끊자. 그럼 이제부터 뭘 하지. 얼마 전 외래진료 때 같은 병을 앓고 있는 사람에게서 들은 이야기가 생각났다. 림프암 환우들이 자주 찾는 '림사랑'이라는 인터넷 사이트가 있다는 것을.

해당 사이트에는 많은 얘기가 올라왔다. 무슨 무슨 음식들이 항암에 도움이 된다는 식의 얘기들이 주로 올라왔는데, 글을 올린 사람들의 심정이 글 한줄 한줄에 간절하고도 애잔하게 녹아 있었다. 아! 세상에는 나 같은 사람들이 생각보다 많이 있구나. 왜 진작 이곳을 찾을 생각을 하지 못했을까. 마음 기댈 곳이 생겨서 그런지 그들 모두가 마치 오래전부터 사귀어 온 친구처럼 느껴졌다.

그런데 그 여러 댓글 중에 유독 시선을 사로잡는 글이 있었는데 내용인즉, 정상적인 항암 치료 외에 부가적인 치료 요법 들이 있다는 것이었다. 그 부가적인 치료 요법들의 이름이 소위 'XX 바이오', 'XX토', 'XXX 요법' 등인데, 문제는 비용이 엄청나게 비싸다는 것이었다. 한 예로 그곳에 소개된 어떤 요법은 한 번 치료에 오백만 원이 들고 그 비싼 치료를 최소 여섯 번은 해야 한다는 것이었다.

사실 암 판정을 받게 되면 눈앞이 캄캄해지기 마련이다. 하물며 그 판정이 4기나 말기라면 더 이상 말이 필요 없게 된다. 이들의 머릿속에는 딱 한 가지 생각만 남게 되는데, 즉 죽느냐 사느냐이다. 우주가 아무리 넓고 그 역사가 길다고 한들, 한 생명의 죽음은 그에게는 우주의 몰락을 의미한다. 흔히들 사람은 죽어서 이름을 남긴다지만 그것도 나라를 구한다거나 최소한 심신이 정상일 때의 말이지, 4기 암 판정과 혹독한 항암 과정을 겪고 있는 이에게는 그저 한가한 소리로 밖에 들리지 않는다.

상황이 이쯤 되면 갖고 있던 돈과 재산은 별 의미가 없게 되고 생존 확률을 0.1%라도 높일 수만 있다면 그들은 무슨 일이든 하게 된다. 돈이면 다 된다고 흔히들 믿는 자본주의 사회에서, 지푸라기라도 잡고자 하는 암 환자들의 심정을 이용하는 사람들도 생겨나게 마련이다. 암 보조 치료들이 모두 엉터리라고는 보지 않는다. 흑마늘, 당근 등도 항암에 효과가 있다고 알려져 있는데 진짜 효과가 있는지 그 진위를 떠나서 비용면에서 그다지 부담이 되지 않고, 또 그들이 가지고 있는 영양소를 따져봐도 몸에 나쁘지 않으니까 그냥 효과가 있을 거라 믿고 섭취하는 정도라면 보조치료제로 가볍게 인정해도 되지 않을까. 그러나 한 번에 오백만 원이나 하는 치료를 최소 여섯 번을 해야 한다는 광고를 평정심을 되찾은 오늘날 되뇌어 보면 아무리 생각해도 지나친 구석이 있다.

오랜 세월 수많은 사연을 가진 환자들을 접해 본 의사 선생님은 이런 광고에 환자들이 흔들릴 수밖에 없다는 것을 모를 리 없었을 것이다. 그런 소문에 귀 기울일 거면 차라리 다른 병원에 가라며, 불안해하는 환자의 내면을 훤히 들여다보고 흔들리는 갈등을 한 방에 정리해 버리는, 이보다 더 훌륭한 처방이 또 어디 있을까. 의술보다 더 중요한 것이 인술이라 하지 않던가. 엉뚱한 곳에 신경 쓰지 말고 자신을 믿고 치료에 집중하라는 선생님의 일침에 정신이 번쩍 들며 나도 모르는 사이 대답이 튀어나왔다.

"죄송합니다. 제가 생각이 짧았습니다."

그날도 아침에 천근 같은 몸을 일으키고 화장실을 갔는데 변에 피가 묻어 나왔다. 혹시 대장이나 직장으로 전이 된 것이 아닌가 싶어 심장이 조여들었다. 항암 할 때마다, 그러니까 3주마다 대장내시경을 하니까 크게 걱정은 되지 않았지만 그래도 걱정되어 동네 병원을 찾았다.

"치핵이 생겼습니다."

"그게 어떤 겁니까. 심각한 상태입니까?"

"치질의 전 단계로 볼 수 있지요. 변을 볼 때마다 따뜻한 물로 좌욕을 하시기 바랍니다."

항암 중이라는 말을 들은 의사 선생님은 크게 걱정하지 말라며 좌

욕할 때 쓰는 플라스틱 용기 하나를 추천해 주셨다.

3차 항암의 2주차가 지나면서 몸 상태는 하루가 다르게 피폐해 져 갔다. 손발은 이제 저리는 단계를 지나 손톱 발톱에 주름이 생기기 시작했다. 어느 날은 아침에 일어났더니 입술 주위에 물집이 잡히고 짓 물이 흐르는가 하면 또 어떤 날은 혈변이 나오기도 했다. 독한 약이 피부의 모든 털을 없애고 손끝, 발끝, 입술, 항문 등 비교적 신 체의 약한 세포들을 공격하고 있었다. 그다음은 어떤 곳이 공격받고 허물어져 갈까. 또 그다음은…

기타 연습도 바둑도 이미 포기한 상태라면 다음은 무엇을 할 수 있을까. 그냥 이렇게 허물어져 가는 몸을 바라보며 신세 한탄이나 하며 다음 항암 날짜나 세고 있어야 하나. 어느 날 우연히 인터넷 댓글을 뒤적이고 있는데 의미심장한 문구 하나가 눈에 들어왔다.

'암 환자는 누우면 죽고 걸으면 산다.' 순간 둔기로 뒤통수를 한 대 맞은 듯 정신이 아득해지며 자리에서 벌떡 일어났다. 항암이 시 작되고 지금까지 뭘 했지. 아프다는 이유로 툭하면 자리에 눕는 걸 무슨 권리인 양 여기고, '하필 나한테 이런 병이…' 하면서 불평이나 늘어놓고, 망가져 가는 몸 이곳저곳을 쳐다보며 불안에 떨기나 하지 않았던가. 그뿐인가. 매일 먹어야 하는 음식은 산더미 같은데 저걸 또 어떻게 목구멍에 넘길까를 두고 얼마나 많은 스트레스를 받았는 지. 가족들이 학교에서 직장에서 돌아오기만을 기다리며 홀로 외로 워했던 시간 들은 또 어떻고. 그래! 밖으로 나가자. 나가서 세상과 부딪혀 보자. 혼자면 어때. 인생은 어차피 혼자 아닌가. 태어날 때도 물론 혼자였지만 남들은 고등학교를 졸업하고 대학 가기 전에 재수 생활을 한다는데, 초등학교를 졸업하고 중학교 가기 전에 재주 생활 을 경험 한 것도 우리 고향 동네 전체를 통틀어 나 혼자가 전부였 다. 4기 암 소식에 마치 벼락을 맞은 듯 침대 위로 무너져 내릴 때도 혼자였고, 수술대 위에 반듯하게 누워 비정하게 내리꽂히는 수술 등 불빛을 올려 볼 때도 혼자였다.

영화 구경도 가고 백화점에 가서 사람 구경도 하고, 지긋지긋한 장어구이와 소고기 대신 중국집에 들러 자장면도 시켜 먹어보자. 비록 성치 않은 몸이지만 집안에 틀어박혀 신세타령이나 하는 것에 비할까. 아직은 혼자 일어설 힘이 남아 있지 않나. 그러나 집 밖이라고 해서 마냥 만만한 것은 아니었다. 낮에 찾아 들어간 영화관은 내용이 재미없을 뿐만 아니라, 컴컴한 공간에 겨우 손에 셀 정도밖에 안 되는 관객 속에 우두커니 앉아 있다 보면, 저들은 또 무슨 사연이 있어 이 시간에 이곳에 와 있을까 하는 생각이 들기 일쑤였다. 붐비는 백화점이나 정신없이 돌아가는 시장통은 소음과 사람들에 치여 쉬 피로감이 몰려오고, 일 등급 한우 로스구이도 쳐다보면 한숨부터 나오는데 자장면이라고 특별한 맛이 날 리 만무했다.

오늘은 무슨 일이 있어도 며칠째 망설이던 일을 도전해 보겠다고 다짐했다. 아침 식사도 씩씩하게 해치웠다. 눈에서는 빛이 났다. 여느 때와 다른 나의 아침 모습에 가족들은 의아해했다. 그러나 실패로 끝날지도 모를 일이기에 끝내 이유는 말하지 않았다. 가족들이 모두 집을 비우자 채비를 갖추고 지하 주차장으로 내려와 운전석에 올라앉았다. 의자를 최대한 앞으로 당긴 후 사이드미러를 다시 맞추고 정신을 집중시켰다. 가능한 저속으로 갈 작정이었기에 뒷 유리에 '초보운전'이라는 딱지도 붙였다.

처음 집을 나와 이곳저곳을 돌아다녀 보고 기웃거려도 봤으나 별 신통치가 않았다. 물론 집을 탈출 하는 데는 성공했고 또 틀어박혀 있을 때보다야 몇 가지 면에서 발전적이긴 했으나 흡족하지 않았다. 더 큰 변화가 필요했다. 새로운 뭔가를 찾아야 했다. 그때 생각난 것이 등산이었다. 등산! 그게 가능할까. 어질거리는 머리 때문에 몇 정거장 안 되는 영등포를 다녀오는 것도 특별한 용기가 필요한데 산에 오르는 것이 과연 가능할까. 간다면 어느 산을 선택할지, 그곳까지 대중교통을 이용할지 아니면 직접 운전할지가 또 하나의 고민이었다. 그러나 무엇보다 신경 쓰이는 것은 등산 도중에 혹시라도 쓰러져 의식이라도 잃게 된다면 그보다 큰 낭패는 없었다. 까짓거 한번 도전해 보자. 설마 죽기야 하겠어. 그래도 만약의 사태를 생각해서 평일에도 사람들이 좀 다니는 도심 근처의 그리 높지 않은 산이 좋겠지. 궁리 끝에 집에서 그리 멀지 않은 구름산에 도전해 보기로 결심했다. 또 어지럼증 때문에 버스를 타고 내리는 것이 느리고 불편하여 자가용을 직접 운전하기로 마음을 굳혔다.

초보운전 딱지에 깜빡이등까지 켰으니 시속 이십 킬로인데도 옆을 추월하는 운전자들한테 미안한 구석은 없었다. 오로지 멀미 증세를 정신력으로 이기고 목표 지점까지 무사히 도착하는 것만이 전부였다. 몸만 성하다면 이십 분이면 될 거리를 한 시간 걸려 구름산 밑 주차장에 도착하니 겨울인데도 온몸은 이미 땀으로 범벅이 되어 있었다. 땀도 식힐 겸 본격적으로 등산하기에 앞서 근처 벤치에 앉아 잠시 휴식을 취하고 있는데 묘하게도 흥분되며, 어렴풋하게나마 자신감 같은 것이 생겨나는 것을 느낄 수 있었다.

아니 이런 기분을 느끼다니! 앞으로 어떤 고행이 기다릴지는 모르나, 생각지도 못한 소득에 일단 기분은 좋아졌다. 암 판정이 내려지고 지금까지 내 심정이 어떠했나. 어느 하루 인상 펴진 날이 없었고 세상 모든 게 불만이었잖아. 먹어도 먹는 게 아니었고 잠을 자도 자는 게 아니었지. 일어나면 입안이 헐어있고, 일어나면 또 어딘가가 망가져 있었어. 그 모습 가족에게 들키지 않으려 애써 태연함을 가장했지만, 숨소리 하나에도 슬픔과 원망이 묻어 있지 않았나.

산을 올려다보니 처음부터 경사가 만만치가 않았다. 조심스레 첫발을 내디디고 채 5분도 걷지 못했는데 벌써 숨이 턱에 찼다. 첫 산행이라 미처 스틱도 준비를 못 해 주위에 뒹구는 막대기 하나를 움켜쥐었다. 숨을 가쁘게 몰아쉬느라 어지럼증을 느낄 여가가 없다. 당장 자리에 주저앉고 싶지만 오기가 생겼다. 빤히 보이는 저 언덕까지는 어떻게든 올라가고 싶었다. 그때 비로소 느꼈다. 내 자유 의지로 목표를 정하고 있다는 것을. 그리고 어렴풋하게나마 그 목표가 곧 희망이라는 것을. 평지는 그런대로 걸을 만했으나 언덕길은 힘이 몇 곱절이나 들었다. 이번에는 열 발짝을 걷고 쉬었으니 다음번에는 스무 발짝을 걸어보자. 한발 두발 …, 목표한 발짝 수를 채우고는 등산로 아무 데나 퍼질러 앉았다. 저만치 보이는 벤치까지 갈 힘이 남아 있지 않았다. 온몸이 흙먼지와 땀으로 범벅이 되고 있지만 개의치 않았다. 다음 목표로 정한 걸음 수만이 뇌리에 박혀 있었다. 얼마나 걷고 쉬기를 반복했을까. 거의 수직에 가까운 계단이 눈앞에 나타났다. 얼핏 올려다보니 계단 수가 수백 개인지 수천 개인지 모를 만큼 정신은 이미 혼미해져 있었다. 저기가 마지막 고비인가 보다. 저걸 오르면 살 것이고 오르다 실패하면 난 죽을 것이다. 설악산도 지리산도 아닌, 겨우 동네 야산 하나 오르지 못하면서 4기 암세포와 싸워 이기기를 바랄 수는 없었다. 시간이 걸리는 한이 있어도 반드시 오르고 말리라. 마지막 도전을 앞두고 충분한 휴식을 취했다. 운동화 끈을 다시 조이고 정신을 가다듬은 다음 절벽 같은 계단에 다시 한 발을 걸쳤다.

올라오느라 사투를 벌인 것과는 대조적으로 구름산 정상은 평화로웠다. 팔각정 벤치에 아무렇게나 쓰러져 한참 동안 휴식을 취한 다음에야 주위 경관이 눈에 들어왔다. 저 동쪽 아래에는 높고 낮은 건물들을 배경으로 사람들의 분주한 삶이 보이고, 서쪽 가물가물한 거리에는 어렴풋이 우뚝 솟은 빌딩들도 보이는데, 옆에 서 계시던 산불 지킴이 아저씨 말에 의하면 거기가 송도 신도시라고 한다.

땀에 절인 옷도 말릴 겸 햇살이 따사로운 장소를 찾아 둥지를 틀고 앉았다. 준비한 한 줄 김밥을 펼쳐 놓고 한 조각 입에 넣는데, 이럴 수가! 단맛이 났다. 항암 이후 처음으로 입맛이라는 것을 느꼈다. 처음으로 배고픔을 느꼈고 처음으로 어지럼증도 사라졌다. 따지고 보면 그런 현상들이 그리 특별한 것도 아니었다. 올라오는데 사투를 벌이느라 기력과 시간을 다 써 버려 점심때가 훨씬 지났으니 배가 고픈 건 당연한 거고, 흘린 땀이 최소 한 바가지는 될 테니 당연히 정신도 맑아진 것이다. 바들바들 운전대 부여잡고 진땀 흘려가며 시속 20으로 기어와 산 밑에 주차할 때까지만 하더라도 이런 효과들은 상상조차 할 수 없었다.

기분이 상쾌해지고 입맛까지 생기다니. 왜 진작 땀 흘릴 생각을 하지 않았을까. 왜 진작 스스로 싸워 볼 생각을 하지 않았을까. 성취감이 밀려들었다. 길을 찾았다는 느낌마저 들었다. 이미 가슴은 요동치고 있었다.

희망을 보았다

아침부터 집안이 분주했다. 마치 옛날로 돌아간 것 같았다. 지금까지 등교 준비, 출근 준비하는 가족들을 소파에 파묻혀 그저 물끄러미 바라봤는데, 그 준비 대열에 나도 당당히 참여하고 있었다. 바로 오늘의 산행을 준비하는 것이었다.

힘들었지만 정말 힘들었지만, 첫 산행의 효과는 상상을 초월했다. 먼저, 밤에 잠다운 잠을 잘 수 있었다. 전에는 손발이 저려 밤에 자다가 깨기가 일쑤였다. 그러니 틈틈이 낮잠을 자게 되고 그게 또 밤잠을 설치게 하는 원인이 되는 악순환이 반복되었다. 그런데 낮 동안에 사력을 다해 등산을 했으니 저녁을 먹기가 바쁘게 곯아떨어져 손발이 저린 고통을 느낄 여가가 없었다.

다음으로 얻은 효과는 돌아온 입맛이었다. 조금 과장되게 말해서 어제까지는 씹고 있는 것이 음식인지 아니면 그냥 종이인지 모를 때가 많았다. 그런데 오늘 아침은 음식 냄새가 그다지 싫지 않았다. 그러나 무엇보다 가장 큰 효과는 두려움과 외로움으로부터의 해방이었다. 물론 아직 엄연한 항암 중이어서 걱정이 아예 사라진 것은 아니지만, 집 안에 틀어박혀 인터넷에 떠도는 이런저런 말들에 신경 쓰고 휘둘리는 것에 비할 바가 아니었다.

어제 산행을 되짚어 보니까 준비할 것이 많았다. 당장 필요한 것이 등산복과 등산 도구였다. 다리에 힘이 많이 빠진 탓에 무엇보다 가볍고 튼튼한 등산화와 스틱이 급했다. 점심과 간식 챙기는 것도 신경이 쓰였다. 어제는 무작정 한 번 도전해 본 것이었으나 오늘부터는 제대로 갖추고 싶었다.

제대로 된 점심에 오전 간식 오후 간식, 땀을 많이 흘릴 것에 대비한 물 세 병, 땀에 젖을 옷을 갈아입을 여벌의 겨울 등산복 등등을 챙기고 나니 아담한 배낭이 터질 것만 같았다. 게다가 두툼한 등산화와 방한모에 장갑 스틱까지, 누가 보면 눈 쌓인 설악산에라도 가는 줄 착각할 것 같다. 어제의 기억을 되짚어 볼 때, 등산 시간을 아예 저녁때까지 넉넉하게 잡는 게 좋을 것 같아, 혹시 어두워질 때를 대비해 헤드 랜턴도 하나 챙겼다.

　배낭이 사정없이 뒤로 당겼다. 그 무게 때문에 걸음 속도는 어제의 딱 절반이 된 듯했다. 어제는 열 발짝이나 스무 발짝 걷고 쉬었지만 오늘은 아예 스무 발짝이라는 계산을 지워 버렸다. 간혹 연세 지긋하신 분들이 앞지르며 흘끗흘끗 쳐다보았다. 그리곤 생각하겠지. '나보다 훨씬 젊어 보이는데 왜 저렇게 걸음이 더디고 땀을 비 오듯 흘리고 있을까'라고. 그러나 그들과 함께 같은 산을 오르고 있다는 사실이 중요하고 대견했다. 왜 더디고 땀을 흘리냐고? 저들은 짐작이나 할까? 어제까지와 비교해 오늘 내가 얼마나 변했는지, 얼마나 변하려고 애쓰고 있는지. 조금 늦으면 어때. 아니 많이 늦으면 어때. 그들이 오를 정상을 나도 기어이 오르고 말테니까.

　다시 마지막 계단 앞에 섰다. 이 계단이 끝나는 지점에 허술한 산불 감시탑이 있고 거기서부터 평지에 가까운 좁은 등산로를 조금 더 걸으면 정상인 팔각정이 나온다. 즉 까마득한 이 계단만 오르면 거의 정상이나 다름이 없다. 어제 이 계단을 오를 때가 생각났다. 중간 이후부터는 두 손까지 계단을 짚고 거의 기다시피 올랐었다. 그런데 오늘은 묵직한 배낭에 이런저런 장비까지 보태졌으니 힘이 곱절로 들 것이다. 계단을 올려 보지 않고 애써 외면했다. 절벽 같다는 기분은 어제 봤을 때의 느낌만으로도 충분했다. 대신 고개를 돌려 크고 작은 빌딩들이 여기저기 흩어져 있는 저 아랫동네를 내려봤다. 왔다 갔다 하는 자동차 모양만 조그맣게 보일 뿐 빵빵거리는 소리가 들리지 않는 것으로 봐서 이미 상당히 높이 올라온 게 분명했다. 이 정도까지 올랐으니까 오늘은 그만 내려갈까 하는 생각이 얼핏 스쳐 지나갔다. 그러면 어떻게 될까. 숨이 멎을듯한 고통도 없을 것이고 다른 등산객한테 기는듯한 모습도 보이지 않아도 될 것이다. 그렇지만 어제처럼 완등하고 느꼈던 정복감은 얻을 수 없을 것이다. 왜냐하면 그것은 저 절벽을 끝까지 오르지 않고서는 절대 얻을 수 없기 때문이다. 난 잠시 흔들렸던 마음을 다잡고 서둘러 배낭을 들쳐 멨다.

항암 차수가 늘어나면서 몸은 눈에 띄게 망가져 갔다. 아프기 전에는 흔히 사람들의 입에 회자 되는 '얼굴이 푸석푸석하다'는 말을 실감하지 못했다. 음주가 과한 다음 날이면 의례 얼굴이 조금 붓고 주위로부터 얼굴이 푸석푸석 해졌다는 말을 듣곤했지만, 하루 정도 지나면 어느샌가 정상으로 돌아와 있고, 또 주위에 그렇게 생활하는 사람들과 주로 어울리다 보니 그런 현상을 그저 생활의 한 패턴쯤으로 여겼었다. 그런데 4차 항암을 하고부터는 흔히 말하는 얼굴이 푸석푸석해졌다는 표현으로는 도저히 형용이 안 되는 지경까지 치닫고 있었다.

양쪽 뺨은 막걸리를 잔뜩 넣은 술빵처럼 누렇게 변해가고, 입술 양꼬리에는 진작에 잡힌 물집이 점점 커지고 딱지가 앉아 음식을 넣기 위해 입을 벌리는 것조차 불편한 지경이 되었다. 손가락 발가락은 날이 갈수록 저림이 심해지더니 손톱 발톱에 우글쭈글 주름이 잡히는 것도 모자라 언젠가부터는 그들 모두가 흑마늘처럼 까맣게 죽어가고 있었다. 그나마 낮 동안은 등산에 온 힘을 쏟느라 저림을 잊을 수 있지만 등산이 끝나는 저녁부터 이튿날 아침까지가 문제였다.

난 원래 거울 보는 것을 즐겨하지 않았는데 항암이 지속되면서 더욱더 거울을 멀리하게 되었다. 솔직히 거울 보는 게 겁이 났다. 내가 봐도 내 모습이 한심하기 그지없는데 가족들은 어떤 심정일까. 하루는 학원에서 밤늦게 돌아온 작은 딸이 의자 하나를 들고 말없이 내 방으로 들어오더니 잠 못 들고 뒤척이는 내 발을 살며시 잡아당기고는 다짜고짜 주무르기 시작했다.

"아니 됐어. 가서 공부나 해"

나도 모르게 상투적인 말이 튀어나왔으나 두 발은 이미 작은딸 손에 완전히 맡겨져 있었다. 아니 이렇게 시원할 수가! 내가 내 발을 주무를 때와는 차원이 달랐다. 모처럼 깊게 잠든 모습이 보기 좋았던지 다음 날은 큰딸이, 또 그다음 날은 아내가 주무르는 순서로, 그렇게 발 주무르기는 항암이 끝날 때까지 계속되었다.

입술 양쪽 꼬리에 잡힌 물집도 나름대로 해결책을 찾아야 했다. 보통 입 주위에 난 상처는 회복 속도가 아주 빨라 곧바로 딱지가 앉고 며칠 무리하지 않고 푹 쉬면 어느 틈엔가 다시 정상으로 돌아오는 게 일반적인 과정이다. 그러나 세포를 쉼 없이 공격하는 독한 약물에 의해 생긴 상처는 얘기가 다르다. 이때는 그냥 약물의 공격이 멈출 때까지, 즉 항암이 끝날 때까지 기다리는 수밖에 없다. 물집이 보기에는 흉하나 통증이 다른 상처에 비해 상대적으로 적다 보니 그럭저럭 참으면 될 것 같지만 현실은 전혀 그렇지 않다. 보통 물집이 생기고 약 한 시간쯤 지나면 그 주위에 딱지 앉기 전의 상태인 엷은 막이 형성되고 이 엷은 막이 형성된 뒤부터는 입을 벌리기가 수월치 않게 된다. 말이라도 하기 위해 자신도 모르게 입술에 힘을 주게 되면 그 엷은 막이 찢어지면서 '아!'하고 통증을 느끼게 된다. 그런데 문제는 항암을 하는 동안은 체중 유지를 위해 수시로 음식을 섭취해야 한다는 데 있다. 그렇다고 그 약간의 통증이 겁나 음식 섭취를 포기한다는 것은 말이 안 된다. 개복 수술에 저림과 어지럼증, 3주마다 하는 대장내시경 등 통증이라면 이미 이골이 나지 않았던가. 눈 한번 질끈 감고 입 한번 크게 벌리면 그만이었다. 한번 찢어진 얇은 막은 식사가 끝날 때까지는 다시 막이 형성되지 않을 테니까. 그러나 그런 식사 시간이 너무 자주 있다는 게 문제였다.

손발이 타들어 가고 얼굴은 술빵이 되어갔으나 등산만은 단 하루도 거르지 않았다. 몸이 피폐해지면서 걷는 시간 보다 앉아서 쉬는 시간은 더욱 늘어나고, 그러다 보니 쉬는 장소도 점점 늘어나고 있었다. 그렇게 많은 쉬는 장소 중에서도 등산 때마다 반드시 들르는 두 군데 장소가 있었다. 하나는 주 등산로에서 조금 벗어나 있어서 일반 등산객의 눈에는 잘 띄지 않는 곳인데, 그곳에 올라서면 발아래 동네가 손에 잡힐 듯이 빤히 내려다보였다. 처음 우연히 그곳을 찾았을 때, 저 아래 동네를 바라보며 생각했었다. 저 동네 사람들은 지금 시간에 무엇을 하고 있을까. 나름의 일터에서 나름의 방식으로 열심히 하루를 살고 있겠지. 활기에 넘쳐 보이는 동네 모습이 내 초라한 모습과 너무나도 대조가 되어 처음 몇 번은 다른 등산객 몰래 눈물 찔끔 훔치기도 했다.

또 다른 한 곳은 정상 팔각정에서 그리 멀지 않은, 겨울 햇볕이 유난히 따사롭고 나지막한 관목들에 둘러싸여 있는 장소였다. 힘겹게 정상에 올라 늦은 점심을 먹고 나면 약속이나 한 듯 졸음이 밀려들었다. 이때 관목들을 비집고 들어가 나만의 쉼터에 깔판을 깔고 앉으면 온몸에 내려앉는 햇살은 세상에 둘도 없는 따스한 담요가 되고, 이내 꿀맛 같은 단잠에 빠져들곤 했다.

비나 눈이 오는 날은 우산을 받쳐 들고 산에 올랐다. 어지럼증이 심해진 날은 자동차 속도를 더 줄였다. 몸은 힘들지언정 온갖 걱정 잡념을 떨쳐 버리기에 등산보다 좋은 게 없었고, 힘든 등산만이 그나마 입맛을 돌게 했으며 밤에 잠을 잘 수 있게 했다. 그러나 무엇보다 등산에 집착한 이유는, 최소한 등산을 하는 동안만은 약물의 도움이 아닌 나 스스로가 암세포와 치열하게 싸우고 있다는 기분이 들었기 때문이었다. 헉헉거리면서 정상 팔각정 나무 의자에 털썩 주저앉을 때마다 확신했다. 오늘 때려잡은 암세포가 최소한 백마리는 된다고.

3일 치 멀미약이 떨어지는 순간 울렁거리는 증세는 급격히 심해졌다. 아주 오래전, 지인들과 제주도 여행 중 보트를 타고 바다낚시를 한 적이 있었다. 그때 심한 멀미로 낚싯배 난간에 매달린 채 뱃속 모든 걸 게워내고 엄청 힘들었는데, 덕분에 게워낸 음식물이 밑밥 역할을 했는지 다른 배들보다 물고기를 엄청 많이 잡은 기억이 있다. 그래도 그때는 화끈하게 토하기라도 했지, 항암으로 인한 멀미 증세는 흔히 사람들이 알고 있는 그것과는 결이 달랐다. 속은 울렁거리고 머리도 어지러운데 토하는 것이 없었다. 아니 정확히 표현하자면 토할 수가 없었다. 한바탕 쏟아내면 속이 시원할 것도 같은데 무슨 연유인지 한 번 들어간 음식이 식도를 역류하는 일은 결코 허락되지 않았다. 따라서 항상 몸이 나른하고 무기력한 증상을 그냥 참고 견디는 것처럼, 메스꺼움과 어지럼증도 그냥 그러려니 하며 하루하루 버티는 수밖에 달리 방도가 없었다.

하루는 등산을 마치고 거의 해질 무렵이 다 되어 집으로 돌아오고 있었다. 그날도 깜빡이를 켠 채 저속으로 운전하고 있는데 도로 한 가운데에 아무렇게나 놓여 있던 커다란 플라스틱 대야 하나가 미처 피할 새도 없이 내 자동차 밑으로 쑥 들어가 버렸다. 그리고 그 대야는 자동차 밑 어딘가에 걸렸는지 "드르륵"하며 아스팔트 바닥을 긁어대는 소리가 엄청나게 크게 들려왔다. 그날따라 어지럼증이 더 심해진 것 같아 소리를 무시하고 집까지 그냥 운전하려고 했지만,

결국 차를 길 가장자리에 세우고 문제의 대야를 차 밑에서 꺼내기 위해 쪼그려 앉은 상태에서 머리를 최대한 아래로 숙였다. 머리가 아래로 내려오면서 대뇌 소뇌 할 것 없이 머릿속에 든 모든 물질이 한쪽으로 쏠리는가 싶더니, 몸의 균형이 더 이상 버티지 못하고 왼쪽 머리를 아스팔트 위에 그대로 부딪히고 말았다. 잠시 누워 정신을 차린 뒤 일어나 결국 대야 꺼내는 것을 포기하고, '드르륵' 소리와 함께 집까지 올 수밖에 없었다. 그 일이 있은 뒤부터는 몸 균형 잡는 게 한층 신경 쓰였으나 왼쪽 머리 찰과상이 이후 구름산으로 가는 길을 막지는 못했다.

나의 친구 나의 수호신

항암은 순조롭다는 가정하에 여섯 번이 예정되어 있었다. 그리고 4차가 끝나면 중간 검사를 하고 이 중간 검사에서 결과가 좋으면 다지기로 5차와 6차를 하고 끝이 난다고 했다. 그러나 만일 중간 검사 결과가 좋지 않으면 다시 네 번의 항암을, 그러니까 총 여덟 번의 항암을 한다고 했다. 그래도 암세포가 잡히지 않으면 피를 완전히 바꾸는 자가 조혈모세포 이식수술을, 거기서도 실패하면 타인 조혈모세포 이식수술을, 거기서도 실패하면 … ….

그렇게 지독한 약물을 네 번이나 투입했는데도 암세포가 잡히지 않는다면 다시 네 번을 더 한다고 해서 신통한 결과가 나올 것 같지 않았다. 그리고는 점점 더 고통스러운 단계로 내몰리겠지. 그 고통과 처절한 싸움을 벌이다 결국 생을 마감하게 되는 거고. 인터넷에서 이런 글귀를 본 적이 있다. 암 환자는 암 자체로 죽기보다 치료 과정에서 체력 저하로 생을 마감하게 되는 게 대부분이라고. 사실 그말이 그 말 아닌가. 따라서 이 중간 검사가 어떻게 보면 삶과 죽음의 분수령이고 결정적인 고비라고 할 수 있었다.

"오늘 중간 검사가 있고 다음 5차 때 오시면 결과를 볼 수 있을 겁니다."

의사 선생님은 마치 감기 환자 대하듯 무심히 말씀하셨다. 경험 많은 선생님은 지금 앞에 앉아 있는 환자의 심정을 누구보다 잘 알고 있을 것이다. 용기를 준답시고 늘어놓는 화려한 말 잔치보다, 사느냐 죽느냐의 갈림길에서 차라리 무심한 말투로 불안한 환자를 어루만지는 노련한 내공이 느껴졌다.

중간 검사는 항암 할 때마다 하는 대장내시경을 시작으로 혈액 검사, X선, CT, MRI, PET, 그리고 마지막 골수 검사까지 최초 암 판정받았을 때의 검사들을 차례차례 해 나갔다. 그 많은 검사 중에서 골수 검사를 제외한 다른 검사들은 그냥 시간 낭비처럼 느껴졌는데, 왜냐하면 처음 암 판정받을 때 골수 검사를 제외한 다른 모든 검사 결과를 종합해 1기로 예상했다가, 마지막 골수 검사 결과 딱 한 가지 때문에 졸지에 4기 판정을 받았기 때문이다.

암이 발견된 곳이, 최초 발생 지점인 소장과 전이된 골수 두 곳이 었는데, 소장의 암 덩어리는 수술로 제거했고 게다가 네 번에 걸친 항암까지 했으니 신체 장기 다른 곳에 새롭게 암 덩어리가 발견될 확률은 매우 낮았다. 문제는 골수였다. 즉 골수에 침범한 암세포가 지난 네 번의 항암으로 없어질지 아니면 그대로 남아 있을지가 문제 였다.

지난번에도 그랬듯이 오늘도 골수 검사실은 따뜻했지만 서늘하게 느껴졌다. 부분 마취하고 기다란 주삿바늘을 척추에 꽂은 후 좌 골수 우 골수를 빼내고 다시 자세를 바꾸어 마취가 풀릴 때까지 엎드 리거나 누워 있는데 족히 두 시간은 걸린 듯했다. 그 긴 시간 동안 힘들고 불편함은 온데간데없고 마치 합장이라도 한 듯 간절한 기도 만이 남아 있었다. 부디 내 골수에서 암세포가 모두 사라졌기를!

어차피 잠도 오지 않아 뒤척임을 멈추고 일어나 앉았다. 새벽 세 시였다. 날이 새려면 한참을 더 기다려야 한다. 오늘이 중간 검사 결과가 나오는 날이어서 어느 정도 예상은 했지만 이렇게까지 긴장 될 줄은 몰랐다. 머릿속은 딱 한 가지 생각 밖에는 없다. 암세포가 잡혔을까 아닐까. 아니 직설적으로 표현하자면 죽을까 살까. 무엇을 해야 이 시간을 견딜 수 있을까. 무엇을 해야 이 번민에서 벗어날 수 있을까. 구름산을 다시 찾아 모든 걸 잊고 땀이라도 흠뻑 흘려볼까. 아무리 둘러봐도 새벽 세 시에 할 수 있는 게 없다. 습관처럼 TV를 켰으나 울긋불긋한 화면만 어렴풋이 보일 뿐이다.

중간 검사 이후부터는 살아도 살아있는 게 아니었다. 먹어도 먹는 게 아니었고 등산도 등산이 아니었다. 오로지 얼마 뒤 알게 될 중간 검사 결과에만 모든 신경이 가 있을 뿐 그 외 어떤 행위도 의미가 없었다. 불안함을 잊으려 더 높고 험한 관악산도 올라 보고 사람들이 붐비는 시장통도 찾아보았으나 모든 게 허사였다. 그럴수록 몸만 더 피곤해질 뿐 신경은 더욱 곤두서기만 했다. 얼마나 긴장했으면 그렇게 저리던 손발조차 저림을 못 느낄 지경이 되었을까. 내 인생을 통틀어 그렇게 불안하고 긴장된 시간을 보낸 적이 또 있었을까.

하루는 갑자기 배가 아프기 시작했다. 얼핏 손으로 집어보니 수술한 부분인 것 같아 급히 동네 병원을 찾아, 4기 암 환자에 수술까지 했고 현재 항암 중이라 했더니, 놀란 젊은 의사는 처음 수술한 병원으로 빨리 가서 정밀 진단을 받아보라고 했다. 난 속으로 어떻게 청진기 한 번 안 대보고 저렇게 놀란 표정을 지을 수 있나 순간 의아했으나, 돌이켜보면 그 젊은 의사를 이해하고도 남음이 있었다. 불쑥 찾아온 사람 입에서 나오는 4기 암, 수술, 항암이라는 단어만으로도 긴장될 텐데, 머리털도 눈썹도 없는 병색이 완연한 누렇게 들뜬 얼굴에 입술은 꾸덕꾸덕한 물집으로 온통 뒤덮여 있으니 아무리 의사라지만 놀라는 건 당연한 일이었다.

덩달아 놀란 나는 급히 119에 도움을 요청했다. 그리고 올림픽 도로를 달리는가 싶더니 나도 모르게 잠이 들었고 시끄러운 소리에 깨어보니 이미 목적지 병원 응급실에 도착해 있었다. 그런데 황당한 일은 그때부터 일어났다. 배 아픈 것이 거짓말처럼 깨끗해진 것이었다. 심지어 한숨 자고 일어났으니 컨디션까지 좋아졌다. 이동하는 동안 구급차 대원은 환자 신상을 병원 측에 알렸을 테고, 병원 측은 4기 암 환자에 현재 항암 진행 중인 사람이 119구급차를 타고 급히 오고 있음을 확인했을 테니 병원 응급실 분위기도 어느 정도 긴장하고 있었을 것이 분명했다.

사이렌 소리 요란하게 울리며 도착한 응급실 입구에는 이미 여러 명의 의료진이 휠체어를 갖춘 채 나와 기다리고 있었다. 난감했다. 그래도 보는 눈이 워낙 많은지라 일단 심각한 표정을 지었다. 아픈데 안 아픈 것처럼 연기 하는 것도 어렵지만 안 아픈데 아픈 것처럼 연기하는 것은 훨씬 더 어려웠다. 휠체어를 타고 응급실 안으로 들어오는데 터져 나오는 웃음을 참느라 혀를 깨물었다. 그나마 민둥산 머리에 형편없는 혈색 등이 아슬아슬한 고비를 넘기는 데 도움이 되었다. 중간 검사 결과를 앞두고 하루하루가 얼마나 긴장되고 초조했던지 어느 순간 급체가 왔다가 흔들리는 구급차 안에서 자연스럽게 체기가 사라진 것이었다.

지난밤은 완벽히 뜬 눈으로 새웠다. 사실 며칠 전부터 잠을 잘 수 없었다. 4차 항암을 하고부터는 긴장의 연속이었다. 오늘도 대장내시경 검사가 있어 새벽부터 장을 비우기 시작했다. 게다가 어제저녁부터 금식까지 했기 때문에 온몸에 힘이 다 빠져나간 듯했다. 검사 결과에 신경 쓰느라 요 며칠 동안은 입맛도 없어 먹는 것조차 소홀히 했더니 정말 뱃가죽이 반으로 접힌 것 같았다.

항암을 시작하고 어느 순간부터는 거울 보기가 싫어졌다. 모든 털이 없어져 면도조차 할 필요가 없으니 실제로 며칠씩 거울을 안 보고 생활한 적도 있었다. 현관을 드나들며 신발장 맞은편에 걸린 거울을 어쩌다 보게 될 때면 저절로 한숨이 나오며 가슴 한쪽이 무너져 내렸다. 세수를 정성들여 하고 깨끗한 옷을 골라 있고 용기를 내 거울 앞에 섰다. 지금 거울에 비친 내 모습이 이후 보게 될 내 모습들에 비해 어쩌면 가장 근사한 모습이 될 수도 있기에 머릿속에 오래 기억해 두고 싶었다.

자동차에 올랐다. 사느냐 죽느냐의 판단을 받으러 가는 길에 더 이상 주저할 시간이 없었다. 서부간선도로 옆 안양 천변이 노란 개나리로 뒤덮였다. 마치 노란 물감을 끝없이 뿌려놓은 것 같다. 지난 항암 때는 한 번도 보이지 않던 개나리꽃들이 하필이면 중간 검사 결과 보러 가는 날 저리도 흐드러지게 피어 사람의 애간장을 태우는지 얄밉다는 생각마저 들었다. 아니지. 걱정과 긴장으로 진작에 까맣게 타버린 가슴을 잠시나마 노란색으로 덧칠해볼 수 있어 그나마 고맙다고 해야 하나. 아무튼 내년에도 저 아름다운 모습을 다시 볼 수 있기만을 기도해 본다.

외래 진료실 앞 대기실은 여전히 사람들로 붐볐다. 순서를 알리는 전광판 맨 아랫줄에 드디어 내 이름이 올라왔다. 경험으로 비추어 약 30분 후면 내 이름이 맨 윗줄로 올라갈 것이다. 여기서 시간이 멈추면 얼마나 좋을까. 다른 때는 진료가 지연된다는 문구도 뜨더니 오늘은 그마저도 없다. 어느새 내 이름이 한 칸 위로 올라가 있었다. 이제는 가정하고 결심해야 한다. 더 이상 미룰 시간이 없다. 얼마 뒤면 내가 호출당하고 선생님 앞에 앉는다. 선생님의 표정이 어둡다. 잠시 머뭇거리고는 어렵게 입을 연다. '결과가 좋지 않습니다.' '그러나 아직 희망은 있으니까 너무 걱정하지 마세요.'라며 들으나 마나 한 얘기를 늘어놓는다. 난 어떤 것도 귀에 들어오지 않고 비틀거리며 진료실을 빠져나온다. 그리곤 고민에 빠진다. 치료된다는 보장도 없는데 언제 끝날지도 모를 병마와의 전쟁을 계속해야 하나. 이미 망가질 대로 망가진 몸은 얼마나 더 나락으로 떨어질까. 아니야 차라리 그만두자. 그 지긋지긋한 약물 냄새를 그만 맡자. 더 이상 삶과 죽음 사이에서 방황하지 말자. 짧지만 남은 삶을 사람답게 살다 가자. 사람은 어차피 한 번은 죽지 않나. 억겁의 세월 속에서 몇십 년 앞서간들 뭐 그리 억울할 게 있을까. 다행히도 내 분신인 두 딸이 있지 않나. 내 핏줄이 이 세상에 존재한다는 건 내가 존재한다는 의미도 되지 않을까. 건강하게 자란 두 딸이 이렇게나 소중하게 느껴질 수가. 시간은 흘러 기어이 내 차례가 되었다. 도저히 무릎이 펴지지 않아 물 한 모금 마신 뒤에야 일어나 진료실 문을 열었다. 자리에 앉고 3초 정도의 시간이 흐른 듯했다. 컴퓨터 모니터에서 눈을 뗀 선생님은 지체없이 말씀하셨다.

"검사 결과가 좋습니다."

며칠 전이었다. 그날따라 산행이 힘들었던지 집에 오자마자 소파에 쓰러져 얼핏 잠이 들었다. 나는 초등학교 친구들과 게임을 하고 있었다. 그런데 저만치 대통령이 어떤 사람들과 마주 앉아 있는 모습이 보였다. 그래서 난 생각했다. 꿈에서 대통령을 봤으니 이건 엄청난 행운이라고. 얼마나 설잠이었는지 꿈을 꾸면서도 이게 꿈인 걸 알고 있었다. 우리나라에서 가장 높은 어른이니까 당연히 인사를 해야겠다 생각하고 자리에서 막 일어나려 하고 있었다. 그때였다. 갑자기 둥그런 형형색색의 화려한 배경이 나타나더니 그 중심에 초등학교 때 친구 한 명이 환한 웃음을 머금은 채 홀연히 나타나는 게 아닌가. 그리고 팔을 크게 가로저으며 나한테 친절히 말했다.

"넌 거기 가는 게 아니야. 인사하러 거기 갈 필요 없어."

그래서 다시 대통령이 있는 곳을 자세히 바라보았더니 매우 침통한 표정을 한 대통령 맞은 편에는 검은 두루마기를 입고 검은 갓을 쓴 남자 두 명이 역시 침통한 표정으로 앉아 있었다.

화려한 아우라를 등에 진 환한 표정의 친구 말을 들을 것인지, 아니면 우리나라에서 가장 높은 대통령한테 인사하러 가야 할지를 선택해야 했다. 난 엉거주춤한 상태로 잠시 생각하다가 다시 자리에 앉고 말았다. 대통령에게 인사하러 가기엔 그곳 분위기가 너무 어둡고 침울했다.

"그래 알았어. 인사하러 가지 않을게."

그러자 친구는 화려한 아우라와 함께 웃으면서 사라지고 난 잠에서 깼다. 그리고 이 꿈이 예사 꿈이 아니란 걸 직감했다. 비록 꿈속에서 이루어진 짧은 단막극이지만, 어쩌면 이렇게도 삶과 죽음 사이에서 번민해야 하는 내 처지를 정확히 묘사했는지 꿈을 만들어내는 창조주의 능력에 혀를 내두를 지경이었다.

이 예사롭지 않은 꿈을 두고 새로운 걱정이 시작되었다. 일단은 꿈속에서의 내 선택이 옳은 것임에는 틀림이 없어 보였다. 그런데 꿈은 현실과 반대라는 얘기를 들은 기억이 있는 것이 걱정의 핵심이었다. 그 꿈을 꿀 때가 중간 검사 결과 발표를 며칠 앞둔 시점이었으니 걱정의 정도가 최고조에 달해 있을 때였다. 오죽하면 꿈 창조주께서 걱정할 필요가 없다는 내용의 꿈을 내게 보내주었겠는가. 그런데도 그때 그 꿈속에서 내가 대통령한테 인사하러 갔어야 하지 않았을까 하는 생각이 병원 진료실 문을 열 때까지 머리에서 떠나지 않고 있었다.

마치 태몽처럼, 세월이 흘러도 영원히 잊히지 않을 꿈에 나타나 올바른 길을 인도해 준 친구가 고마울 뿐이다. 그때 친구의 말을 듣지 않았다면 어떻게 되었을까. 지금도 그 순간을 생각하면 등골이 오싹해진다.

사실 그 친구는 이미 이 세상 사람이 아니다. 내가 암에 걸리기 약 3년 전에 위암으로 갑자기 세상을 떠난 친구다. 그 친구는 생전에도 날 챙기기에 바빴다. 난 초등학교 졸업을 하고 이런저런 이유로 오랫동안 동창회에 나가지 못했다. 그러다 처음 동창회에 나가던 날,

서먹해 하고 어려워할 내 기분을 꿰뚫어 보기라도 하듯, 자기 옆에 날 앉히고는 이것저것 살뜰히 챙겨주던 친구였다. 난 특별히 믿는 종교는 없으나 그 친구 때문에 '전생의 인연'이란 말을 믿게 되었다. 그렇지 않고선 초등학교 다닐 때 특별히 친하지도 않았던 친구가, 살아서도 죽어서도 한결같이 날 챙기는지 도저히 설명이 가능할 것 같지 않다. 이번 주말에는 그 친구가 안치된 곳을 찾아야겠다.

중간 검사 결과의 위력

'검사 결과가 좋습니다.'라는 선생님의 말씀을 듣고 진료실을 나오면서 나는 웃고 있었다. 최초 암 진단받은 후 넉 달 만에 처음 웃는 웃음이었다. 결과가 좋을 거라며 며칠 전부터 날 안심시키던 아내도 이제는 정말 안심이 되는지 표정이 밝았다.

중간 검사 결과가 좋다는 것은 골수의 암세포가 잡혔다는 얘기였다. 이는 항암 치료를 이제 두 번만 더 하면 된다는 얘기기도 했다. 4차 항암까지의 결과가 좋다는 것이 암세포가 완전히 없어졌다는, 즉 완치되었다는 말은 아니다. 혈액암의 특징이 태평양처럼 넓은 우리 몸 혈관 체계 어디에라도 암세포가 조금이라도 남아 있을 수 있다는 것이다. 아무리 현대 의학이 발전했다고는 하지만, 그리고 아무리 많은 검사를 했다고는 하지만 어마어마하게 넓게 퍼져있는 혈관 모두를 이 잡듯이 샅샅이 살펴봤다고는 할 수 없을 것이다.

그러나 중간 검사 결과가 좋다는 것은 몇 가지 면에서 중요한 의미를 갖는다. 첫째, 현재 투약하고 있는 약이 확실한 효과가 있다는 것이다. 세상 모든 병을 논할 때 그 병에 잘 듣는 약이 있다는 사실보다 더 다행스러운 일은 없을 것이다. 두 번째는 그 힘든 항암을 이제 두 번만 하면 된다는 것이다. 물론 앞으로 또 어떤 상황 변화가 생겨 추가로 항암을 더 할지는 알 수 없으나 일단은 그 지긋지긋한 항암을 원래 계획한 횟수만큼만 하게 되었다는 사실이 여간 다행스러운 일이 아니었다. 그러나 무엇보다 중요한 의미는 치료할 수 있다는 다시 말해 완치할 수 있다는 희망을 갖게 되었다는 것이다.

치료가 얼마나 어려우면 4기니 말기니 하는 말이 붙었을까. 의학적으로 골수라 하면 혈액과 면역세포가 만들어지는, 즉 조혈이 이루어지는 조직이다. 우리가 사회생활을 하면서 어떤 조직이나 분야에서 중요함이나 지독함을 지칭할 때 '골수'라는 말을 흔히 사용한다. 내가 처음 암 소식을 접했을 때 4기라는 말보다 골수에 전이 되었다는 표현에 더 좌절했던 이유도 이미 학습된, 그리고 뇌리에 박혀 있는 '골수'라는 말의 늬앙스 때문이었다.

사회에서 별생각 없이 사용하던 그 단어를 나의 암 판정과 관련해서 처음 들었을 때는 물론 당황했었다. 그 단어가 전문 의학용으로 사용될 때면 우리가 선입관으로 가지고 있던 엄청난 무서움과는 분명 차이가 있고, 따라서 현대 의학이라면 무슨 해결책이 있겠지 하며 조금은 기대했었다. 그러나 그 기대는 곧이어 발표된 '4기'라는 표현으로 여지없이 무너지고 말았다.

PET 검사로 알 수 있는 암세포가 발견된 신체 장소의 개수와 상관없이 골수에 전이되면 무조건 4기로 판단 한다고 했다. 그만큼 골수는 다른 곳에 비해 암세포가 침범하기 어렵고 이는 다시 말해 치료하기도 어렵다는 의미이기도 했다. 그런 골수에 침범한 암세포가 일단은 다스려진 것으로 중간 검사 결과가 나왔으니, 비록 4기라고는 하지만 희망적이 아닐 수 없었다.

중간 검사 결과를 확인한 우리는 항암 실이 있는 위층으로 향했다. 지난번까지는 항암 실 출입문이 호랑이 굴 입구쯤으로 느껴졌었는데 오늘은 살짝 친근감까지 느껴졌다. 편안하게 침대에 드러누워 오른 팔뚝을 걷어 올렸다. 간호사가 다가와 늘 하던 대로 주삿바늘을 꽂고 작은 수박만 한 주사액 병을 매달았지만 두렵지 않았다. 오늘도 고약한 약물 냄새가 코를 찔렀으나 참을 만했다. 누렇게 뜬 얼굴에 물집이 잔뜩 잡힌 입술도 부끄럽지 않았다. 어지럼증과 고단함도 별로 느껴지지 않았다. 주위를 둘러보았다. 나와 같은 처지의 사람들이 역시 주사액 병을 하나씩 매달고 나름의 방식으로 각자의 고통을 감내하고 있었다. 저들 중에는 이제 겨우 치료의 첫 단추를 끼웠을 뿐인 사람들도 있을 텐데 난 어느새 안정을 찾고 여유까지 생겼다. 저들도 중간 검사 결과가 좋게 나오기를 마음속으로 기도했다. 떨어지는 수액의 방울수를 세고 있자니 졸음이 몰려왔다. 지난밤을 꼴딱 세운 데다 좋은 소식까지 들었으니 오늘은 오래도록 잘 수 있을 것 같았다.

푹 잘 수 있을 것 같았으나 독한 약물 냄새는 그것을 허락하지 않았다. 언제나처럼 주사액 병을 다 비우고 이름 모를 흰색과 붉은색 약물까지 투입하고 나서야 5차 항암이 끝이 났다. 좀 전의 좋았던 기분은 온데간데없이 주사액이 침탈한 몸은 고단했다. 혹독한 과정을 다섯 번이나 반복했으니 이제는 몸이 아니라 마치 실습용 몸뚱어리가 된 기분이 들었다. 여기에도 반비례 법칙 같은 것이 적용되는지, 좋았던 기분의 깊이만큼 오늘 항암은 특히 힘들게 느껴졌다. 하기야 힘들지 않았던 항암이 있었던가. 1차보다는 2차가, 2차보다는 3차가 더 힘들었던 것처럼 차수가 올라갈수록 몸이 더 피폐해지는 건 당연한 것 아니겠는가.

병원 1층 로비에 앉아 잠시 휴식을 취했다. 지난 며칠간 있었던 일들이 파노라마처럼 뇌리를 지나갔다. 수많은 검사 중에서도 오직 골수 검사 결과만이 미치도록 궁금해 안절부절못하던 순간들이 생각났다. 끝이 어딘지도 모른 채 힘겹게 걷고 있는 캄캄한 터널 속에서 한 줄기 빛을 찾아 허둥대고 남몰래 외치던 시간 들이었다. 이틀 전의 일이었다. 시시각각 다가오는 심판의 순간을 더는 참지 못하고 다른 병원에서 의사로 근무하는 동창 녀석에게 전화로 물어봤다. 혹시 내가 치료받는 병원에 알고 지내는 의사가 있는지. 그런 의사가 있다면 수많은 검사 중에서 딱 한 가지, 골수 검사 결과만이라도 미리 알 수는 없는 것인지. 그건 중요한 개인 정보여서 불가능하다며 침착하면서도 무심하게 느껴지던 목소리가 생각났다. 돌아보면 난데 없이 질문을 받은 그 친구는 얼마나 황당했을까. 그저 병마와 사투를 벌이고 있는 이의 안타까운 하소연쯤으로 여기고, 언젠가 그 친구가 얘기했던 것처럼, 늘 밝은 모습으로 친구들과 어울리기를 좋아하던 내 본래의 이미지를 그대로 간직해주길 바랄 뿐이다.

'검사 결과가 좋습니다.'라는 말의 위력은 대단했다. 걱정의 구름이 걷히고 나니 초봄에 움트는 파릇한 새싹처럼 생각이 맑아졌다. 여느 항암 때 같으면 마지막 주사액이 주입되기가 바쁘게 온갖 걱정이 밀려들었다. 항암 실을 나선다고 그날 일정이 끝나는 게 아니었다. 제일 먼저 축 늘어진 몸을 이끌고 처방된 약을 받으려 약국까지 가야 했다. 물론 병원에서 가까운 거리에 약국들이 있고 또 가고자 하는 약국이 제공하는 차로 이동하지만 그 거리마저도 멀미 증세가 나타나기 때문에 여간 신경 쓰이는 게 아니었다. 그러나 무엇보다 부담이 되는 것은 직접 운전해서 집까지 오는 일이었다. 한 번은 항암후 직접 운전이 부담스러워 택시를 타고 귀가한 적이 있었다. 그리고 기사분한테는 사정을 얘기하고 천천히 운전할 것을 정중히 부탁했다. 그날따라 유난히 길이 막혀 가다서다를 반복하고, 그러다 길이 좀 뚫린다 싶으면 어쩔 수 없이 택시는 속도를 올렸다. 속도가 급격히 바뀔 때마다 머릿속 뇌 조직의 위치가 바뀌는 것 같은 고통이 뒤따랐다. 지옥행 택시 그 자체였다. 그날 택시 기사분을 탓할 생각은 없다. 내 몰골을 본 기사분도 나름 배려를 했을 것이다. 다만 '속도를 줄인다'라는 말을 받아들이는 인식의 차이가 있었을 뿐이었다.
그러나 기적 같은 성적표를 받아 든 오늘은 달랐다. 약국 다녀오는 발걸음은 한결 가벼웠고 어지럼증도 크게 느껴지지 않았다. '마음이 몸 상태를 지배한다'라는 속담이 있었나 할 정도로 신기한 현상들이 연이어 나타났다. 운전에도 자신감이 생겼다. 여느 때처럼 무작정 집으로 향하던 관성에서 벗어나고 싶었다. 큰 고비를 넘긴 나 자신을 축하해주고 옆에서 한결같이 응원하고 희생해 준 아내를 축하해주고 싶었다. 어떻게 축하해야 하나. 생일 파티처럼 할까. 민둥산 머리에 고깔모자 얹고 부르튼 입술로 '후~'하고 촛불을 불면 축하 분위기가 날까. 몇 번을 상상해 봐도 그건 아닌 것 같았다. 날이 저물 때까지 시간이 얼마나 남았는지 계산해 봤다. 여행을 떠나자. 그래 아주 짧은 자축 여행을 떠나자.

자동차는 집 방향과 반대 방향을 달리고 있었다. 처음 불안해하던 아내도 내 얼굴에서 자신감을 읽었는지 표정이 한결 밝아 있었다. 아주 짧은 자축 여행을 어디로 떠날까. 언뜻 떠오르는 곳이 수정사였다. 십여 년쯤 전 직장 동료들과 운길산 높은 곳에 위치한 수정사를 방문한 적이 있었다. 올라가는 길이 얼마나 가파른지 사람들을 가득 태운 자동차가 과연 저길 올라갈 수 있을까 염려했었다. 아니나 다를까 힘 좋다고 알려진 SUV 자동차도 힘에 부쳤는지 굉음을 내고서야 그 길을 올랐던 기억이 있다. 그러나 올라올 때 걱정했던 것과는 달리 수정사 앞마당에서 내려 다 본 경치는 입을 떡 벌어지게 하기에 충분했다. 바로 남한강과 북한강의 강물이 하나로 합쳐지는 두물머리가 저 아래 손에 잡힐 듯 보였기 때문이었다.

지금까지 살면서 미국이나 유럽 같은 먼 거리 해외여행은 못 해봤어도 그저 남들처럼 가까운 이웃 나라 몇몇 대도시들은 둘러봤다. 그 외국 도시들이 끼고 있는 강들을 보면서 느낀 것은 서울의 우리 한강이 그들과는 비교도 안 될 정도로 훌륭하다는 것이었다. 내가 본 대도시를 통과하는 외국 강 중에서 우리 한강처럼 넓은 강이 없었으며, 한강처럼 강물과 맞닿은 곳에 시민공원이 잘 조성된 강이 없었다. 외국 여행에서 돌아올 때마다, 매일 보다시피 하는 서울의 한강이 얼마나 아름다운지를 새삼 느끼곤 했다. 그런데 수정사 앞마당에서 내려다봤던 두물머리 강물은 한강의 아름다움과는 차원이 달랐다. 저 멀리 나지막하게 자리 잡은 산들을 배경으로 새털구름처럼 가볍게 일렁이는 강물은 마치 한 폭의 동양화를 보는 듯 아름답고 시원하게 느껴졌었다. 오늘처럼 기쁜 소식을 접한 날, 다시 한번 가슴을 뻥 뚫리게 하는 광경을 보고 싶어 아주 짧은 자축 여행의 목적지로 수정사를 선택했다.

언제나처럼 깜빡이를 켠 자동차는 느릿느릿 넓은 대로를 벗어나 좁은 샛길로 접어들었다. 굴다리를 지나고 다시 몇 번의 커브를 돌자 얼핏 눈에 익은 그리 넓지 않은 국도가 나타났다. 그 길을 따라 조금 더 가니까 도로 옆에 '수정사'라는 푯말이 눈에 들어왔다. 그러나 인근의 공터를 이용해 차를 돌리고 말았다. 여기까지 운전하느라 기운이 빠진 탓도 있지만 기억을 더듬어 볼 때 어지럼증을 다스려가며 가파른 언덕길을 올라갈 자신이 없었다. 골수에 암세포가 사라졌다는 소식에 기분이 좋아졌고 컨디션도 좋아진 건 사실이나 더 이상의 도전에는 한계가 느껴졌다.

여전히 깜빡이가 켜진 자동차는 두물머리 마을로 접어들어 어느 한적한 공터에 세워졌다. 수종사로의 발길은 포기했지만, 그 포기 때문에 발길을 집으로 향하게 하기는 싫었다. 어쨌든 자축 여행을 오지 않았나.

평지에서 바라본 두물머리 강물은 또 다른 매력으로 다가왔다. 저녁노을에 고기비늘처럼 반짝이는 강물은 흐르고 있는지 멈추고 있는지 구분이 되지 않았다. 두 개의 큰 강이 만나는 곳이니 강이 아니라 거대한 호수처럼 느껴졌다. 그 호수에 고깃배라도 두어 척 떠 있으면 저 멀리 섬들에 둘러싸인 아늑한 바다라고 해도 좋을 듯싶다.

한 줄기 바람이 지나가는가 싶더니 붉은 노을을 등에 진 벚꽃잎들이 눈앞을 가로막는다. 걸음을 뗄 때마다 쏟아지는 꽃잎들은 마치 오래전 이곳을 찾았던 사람들이 조금씩 떼어놓았던 마음들이 한꺼번에 몰려와 반겨주는 느낌이다. '왜 이렇게 늦었냐.'고 뾰루퉁 해 하면서.

해가 완전히 기울었는지 병풍처럼 둘러싼 거뭇거뭇한 산들 머리 위에는 어느샌가 노을이 검붉게 변해있었다. 둘러봐도 오가는 사람 하나 없고 생각마저 멈춰버려 머릿속은 텅 비어 편안했다. 이 순간이 영원으로 이어지면 얼마나 좋을까. 눈물도 한숨도 없고 항암도 중간 검사도 없는, 잔잔한 강물처럼 그저 평화로운 일상만이 나를 기다리고 있으면 좋겠다.

강가에 바짝 붙은 오솔길을 따라 한참을 걸었다. 강물이 얼마나 가까운지 찰랑거리는 물방울이 금방이라도 바짓가랑이를 적실 것만 같다.

"살다 보니 이런 날도 있네"

수령이 몇백 년은 되어 보이는 보호수 아래 벤치에 앉으며 아내에게 말했다. 아내는 살짝 미소만 보일 뿐 대답이 없다. 무슨 생각을 하고 있을까. 혹시 자축 여행이라는 걸 잊은 채, 다시 불 위에 올려질 들통 속의 장어들과의 사투를 생각하고 있는 건 아닐까.

더욱 나락으로 떨어지고

　개나리꽃과 벚꽃은 개화 시기는 비슷하지만 화려함과 그 화려함의 지속 기간은 현저하게 차이가 난다. 무리를 지어 기다랗게 줄지어 피어 있는 개나리꽃의 아름다움은 아무리 보아도 질리지 않는다. 원래 노란색인 것을 한 번 더 세탁해 놓은 것 같은 선명하게 샛노란 꽃잎들을 바라보고 있으면 몸과 마음까지 정화되는 것 같아 기분이 좋아진다. 그런 개나리도 벚꽃의 아름다움에는 당할 재간이 없다. 해에 따라 다소 차이는 있으나 사월 초중순에 일제히 꽃망울을 터뜨리는 우윳빛 벚꽃 길은 어떤 형용사로도 그 화려함과 아름다움을 표현해내기가 어렵다. 그저 입이 떡 벌어지고 동공이 확장될 뿐이다.

　사람들은 서울에서 벚꽃 하면 여의도 벚꽃 축제를 가장 먼저 떠올린다. 어느 해인지 여의도 벚꽃 축제에 가 본 적이 있었는데 사람들에 떠밀려 다닌 기억밖에 없었다. 그 이후부터 난 구로구에서 영등포로 이어지는 안양 천변 벚꽃 길을 찾았다. 그곳의 특징은 벚나무들이 비교적 젊어 꽃잎들마저 싱싱한 화려함을 발산한다는 것이다. 그 벚꽃들 옆에는 나지막한 개나리꽃들이 역시 강변을 따라 자리 잡고 있어 색다른 아름다움을 보태고 있었다. 위를 쳐다보면 눈부신 벚꽃들이 하늘을 가리고 아래를 내려보면 개나리꽃에 반사된 노란빛에 또다시 눈이 부시니, 이곳을 동네 이름을 빌려 '구로-영등포 벚꽃 개나리 축제 길'이라 명명하고 싶다.

　항암을 하기 위해 서부간선도로를 지날 때마다 안양 천변을 올려다보았다. 처음 1차 항암 때 앙상하던 벚나무들이 횟수가 거듭될수록 조금씩 변하더니 5차 항암을 받으러 3주 전 이곳을 지날 때는 샛노란 개나리꽃에 벚꽃까지 만발해 장관을 이루었었다.

그러나 5차 때만 하더라도 화려했던 꽃잎들은 온데간데없고 안양천변에는 짙은 녹색의 울창한 벚나무 잎들이 그 자리를 대신하고 있었다. 꽃이 피었으면 져야 하는 것처럼 시작이 있으면 끝도 있는 것이겠지. 마치 오늘이 마지막인 6차 항암인 것처럼.

지나간 시간 들이 생각났다. 지난겨울 두툼한 외투와 함께 항암을 시작했다. 처음 항암 주사실을 들어설 때 겨울옷의 무게만큼이나 발걸음이 무거웠다. 한번 하는 것도 이렇게 힘든데 이걸 여섯 번이나, 아니 그것도 운이 좋을 때의 얘기고, 어쩌면 그보다 훨씬 많은 횟수의 항암을 할지도 모른다는 말을 들었을 때는, 가슴이 덜컥 내려앉는 절망의 소리가 귀에까지 들리는 것 같았다. 가장 낮은 곳까지 내려오면 올라갈 일만 남게 된다. 더 이상 낙담할 것도 없는 상황까지 와 버리니까 '기껏해야 죽기밖에 더 하겠어?'라는 말처럼 순간순간 마음이 편해지는 기분도 들곤 했다.

세상만사가 생각하기 나름 아니겠는가. 항암 부작용이 모두 나쁜 것만 있는 것은 아니었다. 머리가 민둥산이 되었으니 이발비가 절약되었고, 눈썹이 다 빠졌으니 외출할 때마다 내가 원하는 스타일로 멋들어지게 눈썹을 그릴 수 있어서 좋았다. 그렇게 얼핏 입가에 웃음기를 띠다가도 연탄처럼 까맣게 죽어 있는 열 손가락 열 발가락을 보고는 긴 한숨과 함께 또다시 죽음이라는 공포에 시달리곤 했다.

병원 지하에는 비교적 저렴한 비용으로 마사지를 받을 수 있는 장소가 있어 항암 하러 병원에 갈 때마다 그곳에 들러 발 마사지를 받았다. 손가락은 저려도 스스로 주무를 수 있어서 그나마 견딜만한데, 발가락은 주무를 기회가 손보다 훨씬 적어 발 저림은 여간 신경 쓰이는 게 아니었다. 저림을 잊으려면 등산할 때처럼 계속 걸어 다녀야 하는데 거기에는 한계가 있었다.

처음에는 마사지 받으러 들어갈지 말지를 두고 많이 망설였다. 그러잖아도 못생긴 발인데 색깔마저 이상하게 변해버린 발가락을 드러내놓기가 쉽지 않았다. 그런데 창밖으로 비치는 마사지를 받는 사람들을 살펴보니 한눈에 봐도 모두가 나 같은 환자들이었다. 부끄러운 발이 더는 부끄러워하지 않도록 주무르는 손길은 다정하고 따스했다. 내가 민망해할 것까지 생각하는지 내 얼굴은 한 번도 쳐다보지 않고 한쪽 무릎을 꿇은 채 조용히 정성을 다하던 스무 살 남짓 돼 보이던 청년의 모습을 잊을 수가 없다.

머리가 빠지거나 손발이 저리는 것은 일반적으로 알려진 림프암 항암의 부작용들이다. 그런데 나한테만 나타난 현상인지는 모르겠으나 특이한 부작용 하나가 추가로 나타났다. 2차 항암을 하러 갔을 때의 일이다. 항암 할 때마다 대장내시경을 하니까 그날도 전날 저녁부터 금식한 터라 배가 몹시 고픈 상태였다. 병원 지하 구내 식당들을 둘러보는데 저쪽에 해장국 파는 곳이 눈에 들어왔다. 나는 많은 종류의 음식 중에서도 해장국을 특히 좋아한다. 암에 걸리기 전에는 술을 마시던 날이 많았고, 다음날 숙취와 쓰린 속을 달래려 해장국 집을 찾는 것이 습관화 되어 있었다. 이런 생활이 지속되다 보니 어쩌다 '해장국'이란 말만 들어도 귀가 번쩍 뜨이고 입가엔 침이 고이기 시작했다. 해장국 얘기가 나왔으니 말인데, 선지해장국, 황태해장국을 비롯해 지금까지 먹어 본 다양한 형태의 해장국 중에서 맛이 부족한 해장국을 먹어 본 기억이 없다. 해장국같이 부담 없는 가격에 나름의 독특한 맛을 내는 수프나 국물이 한국 말고 다른 나라에도 있을까. 세계로 뻗어가는 K팝, K드라마처럼 해장국이 K푸드에서 떡하니 한 자리 차지할 날이 반드시 올 거라 확신한다.

식당 문을 열고 안에 들어서자마자 다른 메뉴는 거들떠보지도 않고 해장국 한 그릇을 주문했다. 곧이어 주문한 해장국이 나오고 뜨

끈한 국물 한 숟가락을 떠서 입에 넣었다. 내가 기대한 해장국 맛 그대로였다. 다른 때처럼 밥을 국에 말아서 열심히 먹고 있는데 이상하게도 머리에서 땀이 많이 나는 것이었다. 처음에는 식당 안이 더워서 그런가 보다 하고 대수롭지 않게 여겼는데 어느샌가 땀이 물줄기를 이루어 양쪽 뺨을 타고 줄줄 흘러내리고 있었다. 급기야 땀 닦느라 더 이상 식사를 할 수 없는 지경에 이르러서야 해장국 먹기를 중단했다. 주위를 둘러봐도 나를 제외하곤 땀을 흘리는 사람이 없었다. 이상했다. 저 사람들도 같은 해장국을 먹고 있는데 왜 나만 땀을 비 오듯이 흘리고 있는 것일까. 그제야 깨달았다. 해장국이 조금 맵게 느껴졌다는 것을.

한국 사람들이 대부분 그렇듯이 나도 웬만큼 매운 음식은 무리 없이 먹어왔다. 그런데 해장국 뚝배기 하나 비우지 못할 만큼 비정상적으로 땀을 흘린 것이다. 덜컥 겁이 났다. 이것도 항암 부작용일까. 이러다가 매운 음식을 영영 못 먹게 되는 건 아닐까.

해장국과 땀 사건을 겪은 이후 매운 음식과의 전쟁이 시작되었다. 구름산 등산으로 불안과 걱정을 극복한 것처럼 이것도 노력만 하면 극복할 것이라 믿었다. 매운 음식을 일부러 찾아서 먹었다. 땀 흘리는 모습을 남들에게 보이기 싫어서 주로 혼자 있는 시간대를 이용했다. 이왕이면 고춧가루가 더 많이 들어간 반찬에 젓가락을 가져갔고, 라면 하나를 먹어도 매운맛을 골랐다. 매운 음식을 먹음에 있어 다른 문제는 없었다. 속도 쓰리지 않았다. 오로지 땀이 문제였다. 그것도 머리에서만 땀이 났다. 땀 닦는 것에 신경을 쓰지 않으려 두툼한 수건을 아예 목에 두른 채 먹기도 하고 매운 음식을 차갑게 해서 먹어보기도 했다. 그러나 결과는 내가 바라는 것의 정반대였다. 매운 것을 먹을수록 거기 길들여지기는커녕 땀만 더 나는 것이었다. 시간이 지날수록 매운 것 먹기가 힘들어지더니 얼마 뒤에는 김치만두 하나조차 먹기가 신경 쓰이는 지경까지 이르렀다. 한번은 TV 화면에 떡볶이 요리 프로그램이 방영되고 있었다. 양념 고추장에 잘 버무려진 빨간 떡볶이를 별생각 없이 지켜보고 있는데 갑자기 빗방울 같은 땀방울이 머리에서 뚝뚝 떨어지는 것이 아닌가. 드디어 매운 그림만 봐도 땀을 흘리는 마지막 단계까지 와 버린 것이다. 그제야 깨달았다. 이것은 구름산 경우와 다르다고. 이것은 극복하고자 하는 의지가 있고 없고의 문제가 아니라고.

　대장내시경을 하기 위해 가운을 갈아입으러 탈의실에 들어갔다가 내 나이보다 조금 어려 보이는 남자를 만났다. 그 남자는 대장내시경 할 때 입는, 엉덩이 부분이 뻥 뚫린 옷으로 갈아입으려다 말고 원래 입고 온 청바지를 다시 입으면서 옆에 있던 내게 말했다.
　"저는 이제 포기하려고 합니다."
　그게 무엇을 뜻하는 말인지 얼핏 알아차렸지만 생전 처음 만난 사람이고 또 뭐라 대꾸해야 할지 몰라 머뭇거리고 있는데 다음 말이 이어졌다.
　"형씨도 암 환자시군요. 그런데 항암을 믿으세요? 전 이제 그만하고 산으로 들어가려고 합니다."
　대장내시경 가운을 입는다고 다 암 환자는 아닐 텐데 그는 어떻게 내가 암 환자임을 알았을까. 하기야 얼굴은 늙은 호박처럼 누렇게 들떠 있고 꾸덕꾸덕한 물집 들이 온 입술을 뒤덮고 있으니 눈치채지 못했다면 그게 더 이상하겠지.
　"그래도 최선을 다해봐야 하지 않을까요?"
　"이젠 지쳤습니다. 조금 전에 수치를 듣고 왔는데 별로 좋아지지 않았습니다. 저는 항암이 효과가 없는 것 같습니다."
　침통한 표정의 남자는 그렇게 마지막 말을 남기고는 휙 문을 열고 나가 버렸다. 몇 마디 만류해 보고 싶었으나 결연한 남자의 행동에 난 그저 우두커니 뒷모습만 보고 있었다.

대장내시경 탈의실에서 만났으니 대장암이나 직장암이겠지 아니면 그도 나처럼 림프암 환자이거나. 그는 무슨 사연이 있어 암 환자가 되었을까. 치료 효과가 수치로 나올 때마다 얼마나 마음 졸였을까. 암 환자가 항암을 포기한다는 것이 무엇을 의미하는지 알 텐데도 그는 포기를 선언했다. 그런 결심을 하기까지 얼마나 고민하고 얼마나 방황했을까. 그런 결정은 절대 순간적으로 내릴 수 없다. 여러 날을 두고 그는 포기하겠다고 가족들을 설득했을 것이고, 가족들은 포기하지 말라고 그를 설득했을 것이다. 그 과정이 얼마나 힘들고 외로웠을까. 이젠 포기하겠다고, 죽어도 좋으니 이젠 그 지겨운 항암을 그만하겠다고 외쳐대는 그를 진정으로 이해하는 사람이 주위에 한 명이라도 있었을까. 최후의 결정을 내려야 하는 순간에, 그래도 자신은 최선을 다했노라고 누구라도 붙들고 외치고 싶었을 것이다. 중간 검사 결과가 좋게 나왔으니 망정이지 그렇지 않았다면 나도 내시경 가운을 벗어 던지고 그를 따라 저 문을 열고 나갔을지도 모른다.

'이젠 지쳤다'라는 말은 그에게만 적용되는 말은 아니다. 모든 암 환자, 특히 나 같이 병기가 높은 환자들 모두에게 해당되는 말이다. 항암을 하면 힘들다고 하는데 구체적으로 어떻게 힘든 건지 직접 경험해 보지 않은 사람들은 잘 모른다. 한 번은 가깝게 지내는 직장 동료 몇 명이 병문안을 온 적이 있었다. 이런저런 얘기 끝에 그중 한 명에게서 항암을 하면 어떻게 힘든 건지 좀 설명해 줄 수 있냐며 조심스럽게 질문을 받은 적이 있었다. 그의 질문의 요지는 이런 거였다. 이를테면 항암을 하면 신체의 어느 특정 부위가 계속 아파서 힘든 것인지, 또는 무거운 물체를 들고 있을 때처럼 정말 물리적으로 힘이 드는 것인지가 궁금했던 것이었다. 어떻게 설명해야 할지

난감했다. 잠시 생각을 정리한 뒤에 대답했다.

"다른 항암은 몰라도 나 같은 경우는 항암을 하고 나면 몸 전체가 마치 티슈가 물에 푹 젖은 것 같은 느낌이 듭니다."

그리고 티슈 한 장을 물에 흠뻑 적신 후 식탁 위에 툭 던졌다. 물에 완전히 젖은 티슈는 식탁 유리판 위에 오징어보다 더 납작하게 붙어 버렸다.

정말 그랬다. 속이 울렁거리는 멀미 증세나 손발이 저리는 것도 증상 중의 일부인 것은 확실했다. 그리고 그것들도 힘들다고 표현하기에 부족함이 없었다. 멀미나 손발 저림, 입술 물집 등은 등산이나 손발 주무르기 등을 열심히 하다 보면 어느 순간 고통을 잊고 있을 때도 있었다. 그러나 항암 2주차에 접어들 때쯤 되면 고단하다 못해 온몸에서 기운이 모두 빠져나간 것 같은 느낌이 들 때는 정말 힘이 들었다. 이때는 모든 움직임에 힘이 들 뿐만 아니라 생활하는 모든 것에 걱정도 동반되었다. 아침에 눈을 뜨면 화장실까지 가는 것부터가 걱정이었고, 아침밥을 먹고 나면 오늘은 또 무슨 수로 구름산 정상까지 올라갈 수 있을까가 걱정이었다. 힘이 없으니 관절 놀리기가 쉽지 않았다. 모든 동작이 느릴 대로 느려져 갑자기 노인이 된 것 같았다. 가족들 앞에선 있는 힘을 다해 몸을 움직이고 태연함을 가장했으나, 비 갠 뒤 아스팔트 위를 기어 다니는 갯지렁이처럼 모든 관절의 놀림은 느리기만 했다.

그런데 정말로 힘든 것은 다른 곳에 있었다. 항암이 시작된 이후 난 한 번도 힘들다는 말을 입 밖에 내놓은 적이 없다. 비록 병이 들었어도 아버지란 존재 자체만으로도 두 딸에게는 든든한 버팀목 아니겠나. 그 버팀목이라는 마지막 지위마저 잃지 않을까 염려되어, 병색이 완연하고 몸 이곳저곳이 이상하게 변해갈 때도, 어쩔 수 없이 힘든 표정은 지었을지언정 힘들다는 말은 절대 내뱉지 않았다.

항암 주사실은 죽은 듯이 조용했다. 다른 때도 시끄러웠던 적은 없었지만, 오늘은 유난히 더 가라앉아 있었다. 그 분위기에 압도되었는지 간호사들의 발걸음 소리마저 들리지 않았고, 간간이 뿜어져 나오는 긴 한숨 소리들은 항암실 공기를 천 길 낭떠러지로 몰아넣고 있었다. 내가 누울 병상을 물끄러미 내려보고 난 뒤 마지막 항암을 하러 침대에 올라갔다. 그리고 간호사들을 비롯한 세상 모든 이들에게 소리치고 싶었다. 오늘이 마지막이라고.

보통 항암 전날은 집안 분위기가 뒤숭숭하기가 이를 데 없었다. 내일 있을 항암을 위해 이것저것 필요한 물건들을 챙기는 아내를 물끄러미 바라보고 있으면 '저 사람은 왜 하필 나를 만나 저런 고생을 할까.'하는 생각이 들면서 한숨만 푹푹 나왔다. 항암 당일은 꼭두새벽에 일어나 대장내시경을 위해 장을 비워야 하는 엄청난 작업이 기다리고 있었다. 이런 분위기에 익숙한 딸들마저 입을 닫아 버리면 집안은 마치 어둠 속에 갇혀버린 것만 같았다.

그러나 오늘은 분위기가 많이 달라 있었다. 물건을 챙기는 아내의 얼굴도 밝았다. 벌써 다섯 번이나 항암을 했으니까 그동안 누적된 신체의 피폐함이 최고점에 도달되어 있었다. 그러나 기분은 '맑음' 그 자체였다. 사실 어제부터 기분이 좋았다. 마지막 항암이라고는 하지만, 그 마지막이 이미 만신창이가 된 몸을 다시 한번 실신에 가까운 나락으로 떨어지게 할 것이었다. 그런데 그 나락의 세계를 이번을 끝으로 더 이상 경험하지 않아도 된다는 사실이 기쁘고 희망적이었다.

항암 환자들이 극심한 고통을 견뎌내는 데는 다 이유가 있다. 바로 희망을 바라보기 때문이다. 금방이라도 죽을 것 같이 오만 인상을 쓰다가도 수치가 좀 좋아졌다는 의사의 한마디에 그들은 세상을 다가진 것처럼 한순간에 표정이 달라진다. '많이 좋아졌다.'가 아닌 '조금 좋아졌다.'라는 말을 들었을 뿐인데도 말이다. 그들은 자신의 진료 차트를 살피는 의사의 표정과 입만 바라본다. 의사의 표정이 어두우면 낙담하고 의사의 표정이 밝으면 육체적 고통 따윈 아랑곳하지 않는다. 심지어 그들은 의사가 자신의 생사를 결정짓는다고 생각한다. 얼마나 살고 싶으면, 얼마나 간절하면 그렇게까지 생각할까. 그들에게 희망이란 그런 것이다. 그런데 난 좋은 중간 검사 결과에다 오늘이 그 지긋지긋한 항암이 끝나는 날이다. 이보다 더 희망적인 일이 어디 있을까.

마지막 항암을 끝내고 밖으로 나왔다. 다시는 이곳을 오지 않아도 된다는 생각에 마음은 한결 편안했다. 그러나 가벼운 마음과는 달리 몸 상태는 피폐해질 대로 피폐해져 한 걸음 옮기기가 힘들었다. 옆을 지키는 아내에겐 약한 모습 보이기 싫어 애써 태연한 척 표정 지으며 천천히 걸음을 옮기기 시작했다. 항암이 끝난 직후엔 어지럼증이 심해 가능하면 엘리베이터를 이용하려 하지만, 병원 구조상 1층과 2층 사이엔 그것이 없었다. 따라서 1, 2층을 오르내릴 땐 계단이나 에스컬레이터를 이용해야 했다. 항암 하는 날은 늘 그렇듯이 오늘따라 어지럼증이 유난히 심해 진작부터 2층에서 1층으로 내려가는 것이 걱정이었다. 드디어 2층에서 1층으로 내려가는 에스컬레이터 앞에 섰다. 아래를 내려보니 시커먼 금속 계단들이 빠른 속도로 움직이고 있었다. 바닥에서 일정한 시간 간격으로 튀어나오는 괴물 같은 계단에 박자를 맞춰 몸을 실을 자신이 없었다. 차라리 저만치 떨어져 있는 맞은편 계단을 이용할까 살짝 망설이고 있는데 아내는 벌써 에스컬레이터를 타고 내려가면서 빨리 내려오라고 재촉하듯 날 바라보고 있었다. 바로 그때였다. 어떤 노인 한 분이 내 옆에 나타나더니 에스컬레이터에 쉽게 발을 떼어놓지 못하고 주춤거리고 있었다. 우리가 지하철이나 백화점 에스컬레이터 등에서 다리에 힘이 빠진 나이 드신 분들에게서 가끔 볼 수 있는 그런 광경이었다. 순간 머릿속이 복잡해졌다. 당연히 손이라도 잡고 도와 드려야 하는데 그럴 수가 없었다. 어설프게 나섰다가 같이 넘어지기라도 한다면 정말 큰 일인 것이다. 창피함이 문제가 아니라 그 노인분이 크게 다칠 수도 있기 때문이었다. 아! 어떻게 해야 하나. 이 광경을 보고 있는 사람들도 있을 텐데. 결국 난 그분을 외면하고 말았다. 노인에 대한 최소한의 공경심도 없는 비정한 인간으로 비칠지언정 나도 그분도 몸과 마음에서 돌이킬 수 없는 상처를 남게 할 수는 없었다.

그래도 마지막 자존심은 지켜야 할 것 같아 에스컬레이터 타는 것을 포기하고 한참 떨어진 계단을 이용해 1층으로 내려왔다. 먼발치에서 이 광경을 모두 지켜본 아내가 내게 물었다. 평소 나답지 않게 왜 그 노인분께 도움을 주지 않았느냐고. 난 사실을 말하면 아내에게 또 다른 상처만 남길 것 같아 겸연쩍은 웃음으로 대답을 대신했다. 그날 이후로 그 에스컬레이터 앞에만 서면 그때 일이 생각나고 그 노인분께는 미안한 생각이 든다. 그리고 아내도 그 노인분도 부디 오해 없기를 바랄 뿐이다.

구름산과 기왓장

다시 3주가 지났다. 안양 천변의 녹음은 한층 더 짙어 있었다. 오늘도 병원을 향하고 있으나 걱정이 없다. 걱정은커녕 즐겁기까지 하다. 사실 어제저녁부터 그랬다. 금식도 없었고, 대장내시경을 위한 4리터나 되는 물도 마시지 않았다. 예정된 항암은 3주 전에 끝이 났고 오늘은 마지막 항암 결과만 보면 된다. 대부분의 수치가 정상으로 나왔다. 다만 콜레스테롤이 좀 높다며 약을 처방해 주시면서 선생님은 말씀하셨다.

"그동안 항암 하느라 고생하셨습니다. 석 달 뒤에 뵙겠습니다."

3주 뒤가 아닌 석 달 뒤라니. 직접 듣고도 믿어지지 않았다.

항암과 항암 사이의 3주라는 기간은 하루하루가 피 말리는 시간이었다. 어느 하루도 멍때린다거나 허투루 보낼 수 없었다. 항암 직후부터 어지럼증을 완화 시키는 멀미약을 3일간 복용하는데 약을 먹는 동안은 그나마 울렁증이 억눌러지지만, 그 약이 모두 소진된 후부터 며칠 동안은 심한 멀미 증세를 그냥 참고 견뎌야만 했다. 그러니 하얀 알갱이 두 알이 든 멀미약 봉지가 아직 몇 개나 남아 있는지, 불안한 마음에 하루에도 몇 번씩이나 세어 보곤 했다. 멀미약 봉지가 바닥을 보여도 그나마 위안이 되는 것은 기력을 북돋우는 스테로이드제가 아직 이틀 치나 남아 있다는 것이었다. 모든 약이 다 떨어진 2주 차는 첫날부터 그야말로 고난의 행군이었다. 그러나 또다시 위안이 되고 희망적인 것은, 회복 주기인 3주차가 다가오고 있기 때문이었다. 그렇다고 3주차가 마냥 좋은 것만도 아니다. 몸이 하루하루 회복된다는 것은 그만큼 다음 항암 날짜가 가까워지고 있다는 사실이기도 했다.

상황이 이러하니 3주라는 기간 중 어느 날 하루라도 긴장을 내려 놓고 마음 편히 쉬는 날이 없고, 하루에도 몇 번씩 달력을 쳐다보고 날짜 짚어보는 것을 소홀히 할 수 없었다. 그런데 석 달 뒤라니! 반전도 이런 반전이 없었다. 갑자기 의사 선생님이 그렇게 멋있고 잘 생겨 보일 수가 없었다.

물론 더 이상 항암을 하지 않게 되었으니까 다시 3주 뒤에 병원에 올 거라고는 생각하지 않았다. 그래도 재발 여부와 건강 상태 등을 체크 해야 하니까 한 달 또는 많아야 한 달 반 정도의 기간을 생각 했다. 그렇게 짧은 기간을 생각한 것도 무리가 아닌 것이 4기라는 최고 병기에서 항암을 시작했고 그만큼 재발 확률도 높기 때문이었 다. 그런데, 예상과 달리 석 달이라는 긴 시간 동안을 자유와 해방 의 기분으로 보낼 수 있게 되었다. 자유와 해방의 기간이 한 달이라 고 해도 실망할 필요가 전혀 없었다. 물론 다음에 병원에 올 때도 재발 여부를 알아보기 위해 혈액 검사, CT, MRI, 대장내시경 등 여 러 만만찮은 검사들이 기다리고 있겠지만, 그들을 어디 항암의 고통 에 견줄 수 있겠는가.

진료실을 나서는 발걸음은 새털처럼 가벼웠다. 표정이 너무 밝아 라운지에서 전광판을 바라보며 호출 순서를 기다리는 환자분들의 심 기를 건드릴까 걱정되었다. 3주 전만 하더라도 진료실을 나서면 그 다음은 항암 실로 발길을 향했는데 오늘은 그럴 필요가 없어 내면에 서 뿜어져 나오는 기쁨은 가늠조차 하기 어려웠다.

공립 고등학교에서 3월 초면 교사들의 인사이동이 있다. 지금의 학교에서 정해진 5년의 임기를 채웠기 때문에 올해 3월에는 다른 학 교로 전근 갔어야 했다. 그때는 한창 항암을 하던 기간이라 다른 데에 신경 쓸 겨를이 없었지만 그래도 직장을 옮겨야 하는 일이라 신경을 쓸 수밖에 없었다. 일반적으로 사람들은 약속된 5년이 지나도 이런저런 사정에 따라 유임을 하는 경우도 있으나, 난 혹시나 학교에 부담을 줄까 염려되어 여태껏 한 번도 유임을 신청한 적이 없었다. 병든 몸으로 낯선 학교에 가면 누구 하나 반겨줄 사람이 없을 것 같아 직장을 그만둘까도 생각했다. 그러나 한 번 직장을 그만두면 다시는 돌아갈 수 없는 곳이 그곳이라, 중간 검사 결과가 나올 때까지는 기다려보기로 하고 학교 측에 사정 얘기를 했다. 나의 사정을 잘 알고 있는 학교 당국은 흔쾌히 1년 유임을 결정해 주었다.

다행히 중간 검사 결과가 잘 나왔고 마음도 어느 정도 안정이 되었으나 그렇다고 모든 문제가 해결된 것은 아니었다. 아직도 두 번의 항암이 남았고 무엇보다 몸이 고달픈 것이 문제였다. 그래서 이번엔 휴직을 놓고 고민했다. 그러나 그것만큼은 하고 싶지 않았다. 지난 초겨울 처음 항암을 시작할 때 어쩔 수 없이 혼자 남겨져 온갖 상념에 사로잡힌 채 불안과 외로움에 떨던 시간을 다시 겪고 싶지 않았다.

그래. 힘들지만 정상적으로 출근하자. 혹시 수업이 부실해져 학생들이 피해를 볼 수 있었으나 나에게 배정되는 업무를 최대한 줄이는 학교 측의 배려로 그 문제는 원만히 해결되었다. 그래도 걱정되는 구석이 있었다. 정상 출근과 정상 퇴근으로 몸에 무리는 가지 않을까, 음식 섭취가 소홀해지는 것은 아닐까 하는 것이었다. 그래서 석 달 뒤 병원을 찾았을 때 '검사 결과 몇몇 수치가 나쁘게 나왔습니다.'라는 말이라도 듣는다면 그보다 더한 낭패는 없었다. 혈액 검사 수치 들이 안 좋다는 것은, 그만큼 재발의 확률이 높다는 것이었다. 특히 먹는 것이 신경 쓰였다. 몸은 학교에 있어도 집에 있을 때와 최대한 비슷하게 영양을 섭취하려고 장어즙이며 흑마늘 등 온갖 것들을 다 싸 들고 출근했다. 그리고 점심은 꼭 자전거로 집에 와서 먹었는데 여기에는 두 가지 이유가 있었다. 아내는 내가 먹을 음식은 반드시 유기농에 국산이어야 하며 모든 음식은 최대한 신선한 것이어야 했다. 주중 점심시간에는 아내도 나도 외출을 했다. 아내는 갓 지은 밥을 내게 먹이기 위해 나보다 30분 일찍 집에 와서 식사를 준비해 놓고, 내가 도착하기 전에 직장인 학교로 돌아갔다. 학교 급식도 유기농 재료에 믿을 수 있다고 얘기했으나 아내는 막무가내였다. 지성이면 감천이라고 하지 않던가. 날 살리겠다는 아내의 붉은 마음이 그대로 전해져 학교 급식과 집밥 중 어느 것이 더 효율적인지는 따져보지 않기로 했다. 또 다른 이유인 자동차 대신 자전거를 이용한 것은 조금이라도 운동을 더 하기 위해서였다.

항암 치료 없이 병원에서 돌아온 다음 날부터 일상은 다시 시작되었다. 모든 암이 그렇겠지만 혈액암은 특히 재발이 잘 된다는 얘기를 들은 적이 있는 터라 모든 것이 조심스러웠다. 항암은 끝이 났으나 생활 모습은 항암 할 때와 똑같이 유지하려고 애썼다. 일과가 끝나는 오후 4시면 어김없이 구름산으로 향했다. 비가 억수같이 쏟아져도 아무리 중한 일이 생겨도 구름산행보다 우선할 수는 없었다. 항암 할 때는 기다시피 오르던 깔딱고개도 하루가 다르게 힘이 덜 드는 것이 신기했다. 지켜보는 아내도 힘이 난 모양이다. 갓 지은 밥을 먹이러 점심시간에 계속 오겠다는 것을 간신히 설득해 그만두게 했다. 신체 변화도 나타났다. 무엇보다 민둥산 머리에 털이 나기 시작했다. 아직은 솜털 수준이지만 희망이 보였다. 그리고 손발 저림이 사라지고 있었다. 드디어 독한 약물의 말초 세포 공격이 멈춘 모양이다.

한번은 구름산을 오르는데 초입에 기왓장이 수북이 쌓여있는 것이 보였다. 그리고 그 옆에 이 기왓장에 대한 설명이 있는데 내용은 이랬다. '구름산 정상 근처에 산불 감시 초소가 있으나, 그것이 너무 오래되었고 낡아서 새로 지으려고 한다. 이 기왓장은 새로 지을 초소 지붕에 얹을 것이므로 등산하는 분들이 산에 오를 때 새로 짓는 감시 초소까지 한 장씩 들고 옮겨 주면 고맙겠다.' 나는 조금도 망설일 없이 한 장을 집어 들었다. 아직은 무거웠다. 그러나 생각했다. 불과 한 달 전만 하더라도 엄두도 못 낼 일에 도전하고 있다고.

그 기왓장은 오래전부터, 즉 내가 항암을 하고 있을 때도 그곳에 있었을지도 모른다. 설령 그때 그곳에 있었다고 한들, 지렁이처럼 꿈틀거리며 기다시피 산에 오르던 내 눈에 그것이 보였을 리 만무했다. 그때는 오로지 정상까지 가느냐 못 가느냐가 암을 이길 수 있느냐 없느냐에 대한 판단의 기준이었기 때문에 풀 한 포기 나무 한 그루조차 눈에 들어오는 것이 없었다. 그런데 오늘 새로운 물체가 보인 것이다. 항암이 한창일 때는 보이지 않던 것이 본격적으로 몸이 회복되기 시작하자, 짠! 하고 내 눈앞에 나타난 것이 신기했다. 그리고 그 물체가 하필이면 기왓장이라는 사실이 또 한 번 신기했다.

건강할 때는 기와 한 장 정도 무게는 아무 문제가 안 되지만 지금의 몸 상태로는 살짝 무리가 될 수 있는 정도였다. 기와 한 장에게서 받는 무게감의 정도에 의해 몸이 얼마나 회복되었는지를 측정해 볼 수 있을 듯했다. 마치 오늘보다 내일은 더 가볍고, 모레는 내일보다 더 가볍게 느껴질 테니까. 그곳에 놓인 것이 기와가 아니라 엄청난 무게의 시멘트 포대였다면 이런 생각이 들었을까. 그러고 보면 저기 무심이 쌓여있는 기왓장 더미는 나를 응원해주고 축복해 주기 위해 이곳에 온 것이 분명했다. 게다가 더욱 반가운 것은 쌓아놓은 기왓장 더미가 상당해 그 응원과 축복을 여러 날에 걸쳐 받을 수 있게 되었다는 점이다.

항암이 한창일 때 구름산을 오르다가 고통에 가까울 정도로 힘이 들면, 그 고통을 잊기 위해 평소 알고 있던 시조나 시를 읊으며 걷기도 했다. 그중 하나가 병자호란 후 대제학 김상헌이 청나라에 볼모로 잡혀가며 비통한 심정으로 노래한 시조이다.

가노라 삼각산아 다시보자 한강수야
고국산천을 떠나고자 하랴마는
시절이 하 수상하니 올동말동 하여라

그땐 왜 이 글귀가 떠올랐는지 모른다. 아침에 눈을 뜨면 또 지겨운 하루가 시작되고, 텅 빈 거실을 하릴없이 서성이다가 겨울 햇살이 통유리에 바짝 다가서면, 어제처럼 또 비척비척 현관문을 나서야 하는 나의 처지가 볼모로 잡혀가는 대제학의 그것과 닮았기 때문은 아닐까.

현재는 한성의 북쪽에 있어서 그렇게 불리는 북한산은, 옛날에는 멀리서 볼 때 세 봉우리가 모여 마치 세 개의 뿔처럼 보인다고 하여 삼각산이라 불리었다.

그렇다면 구름산은 왜 이름이 구름산이 되었을까. 구름을 늘 머리에 이고 있어서 그런 이름이 붙었을까. 높이가 그리 높지 않은 것으로 봐서 그런 것 같지는 않다. 보통 '구름'이라 하면 왠지 어둡고 우울한 느낌이 들게 마련이다. 그러나 그 산을 계속해서 등산하다 보면 그 반대의 생각을 갖게 된다.

남들이 대부분 일터로 나가는 주중 낮 시간대에 구름산에 가면 같이 산에 오르는 사람들을 만나는데 그들 대부분이 연세 지긋한 어르신들이다. 여러 날에 걸쳐 그분들과 마주치다 보면 어느샌가 친해지고 이런저런 얘기 들을 나누게 된다. 연세가 있는 분들이다 보니 대화의 주제는 주로 건강 얘기인데, 놀랍게도 그분들 대부분은 최소한두 가지의 건강 문제를 안고 있다. 주로 심혈관 계통의 질환을 앓고 있는 분들이 많지만, 나같이 암을 겪었거나 암 투병 중인 분들도 더러 있다. 그런데 그들 모두의 공통점은 자신의 건강 문제를 얘기하면서도 표정이 밝다는 것이다. 그들도 건강이 심각하다는 얘기를 처음 들었을 때는 가슴이 쿵 내려앉았을 것이다. 그리고 건강을 되찾기 위해 고심 끝에 내린 결론이 구름산이었을 것이다. 마치 내가 그랬던 것처럼.

얽히고설킨 건강 문제를 현대 의학에만 의존했더라면 낯선 이들에게 자신의 몸 상태를 자신 있게 드러내놓고 얘기하며 저렇게 밝게 웃을 수 있을까. 구름산을 찾은 것이 그들에게도 신의 한 수였다고 나는 확신한다.

그래서 난 다시 생각한다. 구름산이 왜 구름산이 되었을까. 나름 그런 이름이 붙은 사연이야 있겠지만, 혹시 어두운 구름만 생각지 말고 그 뒤에서 밝게 빛나는 태양이 있음을 강조하기 위해 누군가 그런 이름이 붙은 게 아닐까.

환우의 사망 소식

"따르릉 따르릉"

신호음이 한참 울린 뒤에야 누군가가 전화를 받았다.

"여보세요. 누구신가요."

낯선 남자 목소리였다. 전화번호도 저장되어 있고 이미 여러 번 통화한 적도 있어서 잘못 건 전화일 수는 없었다. 살짝 좋지 않은 예감이 들었으나 침착한 목소리로 물었다.

"여보세요. OOO씨 핸드폰 아닌가요?"

"아! 아저씨군요. 어머니께선 그저께 돌아가셨습니다."

"뭐라고요?"

청천벽력 같은 소리가 내 고막을 강타했다.

아들은 용케도 내 목소리를 기억하고 있었다. 아니 이럴 수가. 지난주에도 전화로 간단한 대화를 했는데 어떻게 그렇게나 갑자기 돌아가실 수가 있는지, 정말 돌아가신 게 맞는지 믿을 수가 없다고 물어보고 싶었으나 난 아무 말도 하지 못했다.

언젠가 역시 암 환자이면서 같은 병실을 썼던 앞머리가 조금 벗겨진 아저씨가 했던 말이 생각났다. 암 환자는 어느 순간 훅 가 버릴 수 있다고. 앞머리 벗겨진 아저씨 얘기가 이왕 나왔으니 아무리 바빠도 그 아저씨 얘기는 하고 넘어가야겠다.

아저씨를 처음 만난 건, 내가 암에 걸린 것으로 판정 난 후 병기를 알기 위해 여러 가지 검사를 하던 때였다. 그때 나와 아저씨는 2인실 병실을 함께 사용하고 있었으니까 굳이 표현하자면 병실 룸메이

트라고 하면 되겠다. 그는 대장암 3기 판정을 받고 이미 수술을 한 상태였다. 그런데 특이한 것은 무슨 이유에선지 그는 수술이 끝났는데도 배를 봉합하지 않고 수술한 부위를 커다란 거즈로만 덮은 채로 며칠이 지나고 있었다. 그리고 시간에 맞춰 의료진이 찾아와 거즈를 걷고 배 속 장기들을 직접 소독하고 돌아가곤 했다. 내가 직접 배 속 장기들을 들여다본 건 아니지만 바로 옆 병상에서 커튼이 둘러쳐진 채 의료진들이 소독하며 이런저런 대화를 듣는 것만으로도 사람 배 속 장기들이 눈에 보이는 것 같아 오싹하는 느낌이 들었다.

여기까지만 얘기 들으면 그분은 거의 초 죽음의 상태로 병상에 누운 채 사경을 헤맬 것 같지만 현실은 정반대였다. 어쩔 수 없이 병상에 누워 있는 건 맞지만, 그것만 제외하면 정상인과 다를 바 없었다. 특히 입담에서는 오히려 정상인을 훨씬 뛰어넘었다. 나는 지금까지 살면서 그렇게 입담이 좋고 세상사를 낙천적으로 생각하는 사람을 본 적이 없고 앞으로도 없을 것 같다. 그것도 갈라진 배를 거즈로만 덮고 침대에 누운 채로 말이다.

그분의 입담이 얼마나 좋은지 병실 안에 있는 모든 사람은 물론, 병실을 바쁘게 왔다 가야 하는 간호사들까지 발길을 잡아놓기 일쑤였다. 3일간을 그분과 함께 지내면서 들은 수많은 얘기들을 다 들려줄 수는 없고 그중 한 가지만 소개하고자 한다.

어느 날 그분은 병원으로부터 대장암 3기라는 소식을 듣게 된다. 그동안 먹은 술의 양에 비하면 4기가 아닌 게 다행이라며 담담하게 그 소식을 받아들인다. 그리고 늘 함께 어울리던 친구 두 명을 긴급히 소집한다. 그들에게 자신의 암 소식을 전하고 앞으로 술을 못 먹게 될지도 모르니까 마지막 술자리를 제안한다. 친구들은 놀라며 처음엔 마지막 술자리를 거절했으나 이분의 몇 마디 설득에 넘어가고 만다. 하기야 유유상종이란 말이 있지 않던가.

우여곡절 끝에 술자리 날이 정해지고, 그날은 마지막이라는 특별한 (?) 의미를 가진 날이므로 모두 경건한 자세로 술자리에 임하게 된다. 그리고 그 특별함을 기념하기 위해 평소에는 하지 않던 일을 하게 되는데 바로 그날 먹게 될 술병의 수를 세는 것이었다.

셋이서 한 번 마음 먹고 마시면 수십 병을 먹는다는 것은 익히 알고 있지만 마지막을 기념하는 의미에서, 그리고 평소 우리가 어느 정도 술을 마시는지 스스로 궁금하기도 해서 한 번 세어 보기로 한다. 단 평소처럼 딱 3차까지만 하기로 하고. 결국 소수 맥주를 모두 합쳐 아흔여섯 병이라는 결과가 나온다. 이분은 4차를 하게 되면 백 병을 채울 것이라고 주장하지만 평소처럼 3차까지만이라는 조건 때문에 제지당하고 만다.

특별한(?) 얘기는 이렇게 끝이 나지만 문제는 그분이라고 지칭한 앞머리가 벗겨진 아저씨다. 아저씨는 네 병만 더 마시면 백이라는 숫자를 역사에 남길 수 있었는데 그렇지 못한 것을 못내 아쉬워했다. 그 아쉬움이 얼마나 컸으면 배가 갈라진 채 누워 있으면서도 같은 얘기를 수도 없이 반복하고 또 반복했다. 술 때문에 대장암에 걸린 게 확실해 보이는 상황에서, 큰 수술을 앞두고 또 엄청난 양의 술을 마셨다는 것이 말도 안 되는 얘기지만, 단 네 병 때문에 백 병을 못 채운 얘기가 얼마나 진지하고 절절했으면 4차 술자리를 안 간 친구 두 사람이 원망스럽게 느껴질 지경이었다. 그렇게 입담 좋고 낙천적인 아저씨도 내가 골수에 암세포가 전이 되었다는 얘기를 듣고는 입을 닫아 버렸다.

갑자기 훅 돌아가신 000씨라는 여성분을 처음 만난 건 2차 항암하러 갔을 때 외래 진료실 앞 라운지에서다. 라운지 전광판에는 진료받는 순서가 뜨는데 늘 환자가 많아선지 예약된 시간보다 이 삼십

분씩 기다리는 것이 예사였다. 개인 정보 보호 차원에서 가운데 글자가 *로 표시된 자신의 이름이 전광판에 뜨면 긴장 상태로 들어가게 된다. 거기 있는 환자 대부분이 나 같은 암 환자일 테니 곧 있을 의사 선생님과의 만남에서 항암 진척 상황에 대해 혹시 안 좋은 얘기를 들을지도 모른다는 생각 때문이다.

내 옆에 앉아 순서를 기다리는 듯한 여성 한 분이 어느 순간 자리에서 일어났다 앉았다를 반복하는 등 안절부절못하는 모습을 보이기 시작했다. 경험으로 비추어 전광판에 자신의 이름이 올라 온 것을 확인한 것으로 보였다. 빵모자를 귀밑까지 눌러 쓰고 푸석푸석한 얼굴로 봐서 이분도 항암을 하는 것이 분명해 보였다. 그리고 잠시 뒤 내 이름도 전광판 마지막 줄에 올라왔다. 전광판 줄 순서가 하나씩 올라가 내 이름이 두 번째 줄에 걸리는 순간 간호사가 누군가의 이름을 불렀다. 그러더니 내 옆에 있던 바로 그 여성분이 잔뜩 긴장된 얼굴을 한 채 진료실로 들어갔다. 그 여성분 다음 순서가 바로 나여서 진료실에서 가장 가까운 의자로 자리를 옮겼다.

진료실 바로 앞은 간호사와 환자들이 다음 진료 날짜를 잡기도 하고, 처방 약에 대한 설명이나 혈액 검사 결과에 대한 문답도 이뤄지는 등 이런저런 이유로 늘 사람들로 붐볐다. 그날도 진료실 앞이 평상시처럼 다소 분주한 분위기로 흐르는가 싶더니 갑자기 진료실로부터 고성이 터져 나오는 것이 아닌가.

"호중구 수치가 이렇게 좋은데 왜 미루자는 겁니까?"

호통치는 의사 선생님의 목소리였다. 그렇다면 그 호통을 받는 이는 누구겠는가. 바로 조금 전에 들어간 모자를 귀밑까지 눌러쓴 여성이었다. 사실 그 호통 소리가 들리기 바로 직전에 의사 선생님에게 뭔가 사정하고 매달리는 듯한 그 여성분의 목소리가 들렸었다.

그날은 그 호통 소리의 의미도 잘 모르고, 또 내 코가 석 자인지라 그 소란에 별 관심이 없었다. 그리고 다시 3주가 지나서 3차 항암을 하러 병원을 찾는데 바로 그 빵모자의 여성을 라운지 한쪽에서 발견할 수 있었다. 그리고 잠시 뒤 전광판을 보니까 그 여성분의 이름이 다시 내 이름 바로 앞에 올라와 있었다. 오늘의 진료 순서도 지난번과 같은 듯했다. 나는 동병상련 같은 마음도 들고 지난번 소동에 대해서도 궁금해서 그 여성분 옆자리로 이동해서 말을 걸었다.

"안녕하세요. 지난번에 뵈었는데 오늘 또 뵙게 되어 반가운 마음에 인사드립니다."

"누구시죠? 저는 잘 모르겠는데요."

다소 뜻밖이라는 표정을 보였으나, 불쾌하거나 경계하는 목소리는 아니었다. 자기처럼 귀밑까지 모자를 눌러쓰고 누렇게 뜬 얼굴을 봤을 테니 이쪽 사정을 짐작하고 오히려 측은지심이 들지 않았을까.

사실 암 환자들은 외롭다. 항암 횟수가 늘어날수록 얼굴이며 외모는 점점 황폐해져 어느 순간부터는 몰골이라는 표현이 더 어울리는 지경이 된다. 그러면 사람들과의 관계가 단절되기 시작한다. 물론 몸이 고단하여 스스로 모임을 회피하기도 하지만, 진짜 이유는 그런 몰골을 더 이상 드러내놓기 싫어서이다.

그들은 늘 죽음을 염두에 두고 산다. 앞머리가 벗겨진 아저씨 말처럼 어느 날 갑자기 훅 가게 되더라도 내 주변의 사람들에게는 건강했던, 그래서 아름다운 모습으로 기억되고 싶어 한다. 그리고 그들은 두렵다. 죽음이 미래에 있을 어렴풋한 두려움이라면 사람들로부터 잊혀질 지도 모른다는 사실은 현실적이고 구체적인 두려움이다.

외로움과 두려움이 사람들과의 만남을 피하고자 하는 자의적인 결심에서 시작되었음에도, 역설적인 것은 그런 걱정들이 깊어질수록 마음 한구석에서는 누군가가 자기를 불러주기를 은근히 바라는 마음도 커진다는 것이다.

한번은 가깝게 지내던 직장 동료 두 명이 집으로 병문안을 온다고 했다. 난 흉측하게 변해버린 내 모습을 보이기 싫어 극구 사양했으나 굳이 오겠다는 그들의 뜻을 결국은 받아들였다. 그때가 하필 가장 힘든 2주 차여서 만난 지 30분도 안 되어 돌아갔으나, 그들이 돌아간 뒤 집안 공기가 어땠을까. 내 몰골이 소중한 이들에게 그대로 노출된 것 때문에 창피하고 당황스러워 어쩔 줄 몰라 했을까. 결과는 정반대였다. 현관문이 열리고 그들을 본 순간 나도 모르게 활짝 웃고 말았다. 그래서 입술 가장자리 물집에 겨우 자리 잡은 얇은 막들이 한꺼번에 찢어지는 아픔이 있었지만 잠시나마 외로움에서 벗어나는 기쁨에는 비할 바가 못 되었다.

그 빵모자 여성분도 여느 암환자들처럼 같은 외로움을 겪고 있었는지 다가서는 낯선 이에게 매우 호의적인 모습을 보였다. 그 분위기를 놓치지 않고 진료 순서가 앞뒤라는 것을 연결 고리 삼아 빵모자 여성분에게 계속 말을 걸어나갔다.

"지난번 진료 때 밖에서 들으니 의사 선생님께서 호중구를 언급하시며 큰 소리를 내셨는데 무슨 일이 있었나요?"

질문을 받은 그 여성분은 땅이 꺼지듯 한숨을 한번 쉬더니 신세타령하듯 대답했다.

"나이가 있어서 그런지 항암이 너무 힘이 들어요. 그래서 일주일만 더 있다가 항암을 하겠다고 했더니 씨알머리도 안 먹히네요. 호중구 수치가 좋을 때 계속해야 한다며…, 호중구가 뭔지는 아시죠?"

나도 항암을 하게 되면서 알게 되었는데 호중구는 혈액 중에서 면역에 관여하는 백혈구의 한 종류로서 병균과 싸우는 역할을 한다. 호중구 수치가 낮아지면 그만큼 면역력이 떨어진다는 것을 의미하는데, 심하면 호중구 수치가 높아질 때까지 항암을 연기하기도 한다.

반대로 호중구 수치가 높다는 것은 백혈구가 병균과 싸우는 능력이 커졌음을 의미하므로 그만큼 항암의 효과도 높아진다. 따라서 호중구 수치는 항암을 계속할 수 있느냐에 대한 중요한 판단의 기준이며, 의사는 의사대로 환자가 언제 다시 그 수치가 떨어질지도 모르기 때문에 호중구 수치가 높을 때를 절대 놓치지 않으려고 한다. 사정이 이런데도 일주일만 더 몸을 회복시킨 다음에 항암을 하겠다고 떼를 쓰니 의사 선생님이 결국 소리를 지른 것이다.

의사들도 언젠가는 늙고 병들 사람들인데 고통스러워하는 환자들의 심정을 어찌 모를 수 있을까. 그러나 노련하고 경험 많은 우리의 의사 선생님은 암 환자가 어차피 가야 할 힘든 여정에 행여 마음 약해질까 염려되어 모질게 느껴질 정도로 미리 차단막을 치고 나선 것이었다.

오늘 또 하게 될 항암이 미리 걱정되는지 호중구 언급을 끝으로 그 여성분은 허공만 응시한 채 더는 말이 없었다. 그녀가 불쌍하고 가여웠다. 같이 빵모자 깊게 눌러쓴 처지에 누굴 위로하고 용기를 줄 입장은 아니었으나 무슨 말이라도 해야 할 것 같아 조심스럽게 입을 열었다.

"그래도 호중구 수치가 나빠서 항암을 못 하는 것보다는 좋은 거니까 용기를 내세요."

동병상련과 서로에 대한 측은지심이라는 공통분모를 가진 우리는 그렇게 환우가 되었다. 한번 정해진 항암 날짜와 진료 순서는 끝내 변하지 않아 다음 항암 때도 그리고 그다음 항암 때도 그녀의 진료 순서는 항상 내 앞이었다. 병원에 갈 때마다 항암 외에도 대장내시경, MRI 등 온갖 성가신 것들만 기다리고 있는 건 아니었다. 빵모자 깊게 눌러 쓴 그녀를 만날 것을 내가 기대하듯, 그녀 또한 부드러운 손길로 아픈 상처를 어루만지듯 은은하게 나를 기다리고 있을지도 모를 일이었다.

아내가 항상 내 곁을 지키듯 그녀 또한 장성한 아들이 늘 그녀와 함께 병원에 왔다. 빵모자가 이마며 귀밑까지 온통 덮고 있어 나이를 가늠하기 쉽지 않았으나 눈가 잔주름이며 목주름으로 미루어 나보다 최소 다섯 살은 위로 보였다. 많은 대화 속에서 어느덧 친밀감이 느껴지고 풍부한 인생 경험이며 연륜도 느껴져 몇 번이고 실제 나이를 물어보고 싶었으나, 이미 고단해진 몸에 행여 마음에 생채기라도 날까 걱정되어 끝내 실행에 옮기지는 못했다. 대신 그녀가 내게 물었다.

"아직 젊으신 것 같은데 어쩌다 이 병에 걸렸는지요."

난 대답하지 않았다. 아니 대답할 수가 없었다. 간암이나 위암, 대장암이라면 그동안 마신 술 때문이라고 적당히 둘러댈 수 있겠는데, 생뚱맞게도 림프암이라니, 그 원인이 무엇인지 내가 더 답답해 길가는 아무라도 붙들고 물어보고 싶은 심정이었다. 내가 끝내 침묵하자 그녀는 신세타령하듯 말을 이어 나갔다.

"전 정말 억울해요. 술 담배는 입에 댄 적도 없고 작년부터는 전원주택에 살면서 식재료도 유기농만 먹었는데 왜 나한에 이런 병이 왔는지 도저히 이해가 안 되네요."

그리고 고생고생해서 아이들 다 키우고 이제 고향에 내려와 걱정 없이 살 계획이었다고 얘기했다. 나보다 보름이나 먼저 림프암 3기 판정을 받은 그녀는 수술은 하지 않고 항암으로만 치료하고 있다며, 개복 수술하지 않은 것이 그나마 다행이라고 얘기했다.

이후 그녀로부터 한 번은 나쁜 소식을 직접 들었고, 한 번은 좋은 소식을 전화 통화로 들었다. 4차 항암을 하고 중간 검사를 했는데 결과가 좋지 않아 두 번의 항암을 추가로 총 여덟 번의 항암을 하게 되었다는 것이 나쁜 소식이었고, 그 여덟 번의 항암 결과 암세포가 결국 잡혔다는 것이 좋은 소식이었다.

달포 전 병원에서 마지막으로 그녀를 만났을 때도 여느 때처럼 그저 푹 눌러 쓴 빵모자에 푸석푸석 한 얼굴을 봤을 뿐 별다른 차이점을 보지 못했다. 그 사이 도대체 무슨 일이 있었던 것일까. 더 이상 항암을 안 해도 된다며 처음으로 들은 밝고 맑은 목소리가 아직 귓전을 맴도는데, 오늘 그녀의 아들로부터 그녀가 세상을 떠났다는 소식을 들은 것이다. 앞머리가 벗겨진 아저씨 말처럼 암 환자는 정말로 한순간에 훅 가고 마는 것인가. 그렇다면 다음은 혹시 내 차례가 아닐까. 의지가 되던 환우의 사망 소식을 접한 날 아내도 나도 종일토록 말이 없었다.

아내의 낡은 손목시계

이른 아침부터 거울 앞에서 모자를 쓰고 벗기를 반복하고 있었다. 벌써 30분째다. 정면으로 볼 때는 머리숱이 제법 수북해 보였다가도, 고개를 조금 숙여 속머리를 보면 사막에 풀 몇 포기가 듬성듬성 나 있는 기분이 들었다. 오늘은 한 주가 시작되는 월요일이기도 해서 꼭 모자를 벗고 출근하고 싶었으나 아무리 벗고 쓰기를 반복해 봐도 아직은 이른 감이 들었다.

마지막 항암 주사를 맞고 한 달이 조금 넘어가자 본격적으로 몸에 변화가 나타나기 시작했다. 언제까지나 계속될 것 같은 손발 저림이 사라지고 어지럼증도 더디기는 하나 확실히 좋아지고 있었다. 그러나 무엇보다 빨리 회복되기를 기다려지는 것은 모발이었다. 항암의 영향으로 생긴 많은 변화 중에서도 가장 견디기 어려운 것이 민둥산 머리였다. 손발 저림이나 어지럼증 같은 육체적인 고통도 만만찮았으나, 어느 날 머리털이 하나도 없는 민둥산 머리가 갑자기 거울 속에 나타났을 때는 저 모습이 정말 내가 맞는지 그 낯 설은 모습에 받은 충격은 말로 표현하기 어려웠다.

처음에는 짙은 갈색의 솜털 같은 것이 여기저기 나타나더니 하루가 다르게 민둥산을 점령해 나가고 있었다. 그러나 점령해 나가는 속도가 마음 같지 않았다. 생각 같아서는 한 올씩 움켜잡고 팍팍 잡아당기고 싶었으나, 실상은 행여 한 가닥이라도 잘못될까 매만지는 손길은 조심스럽기만 했다.

사람들은 이런저런 일을 겪으면서 '다시 태어난 기분이다'라는 말을 하곤 한다. 머리가 어느 정도 자라 드디어 샴푸로 머리를 감은 날, 난 그날을 다시 태어난 날로 규정하고 싶다. 왜냐하면 원래의 내 모습으로 복원되었기 때문이다. 만일 어떤 대머리 아저씨가 어느 날 갑자기 무성해진 머리숱을 갖게 된다면 똑같이 다시 태어난 기분이 들지 않겠는가.

며칠이 더 지나도 머리숱은 마음처럼 자라지 않았다. 정확히 말하면 자라고는 있는데 남들처럼 풍성해 보이지 않았다. 애가 탔다. 원인이 무엇일까. 하루는 작심하고 머리숱의 상태를 관찰했더니 숱의 숫자는 제법 되는데 문제는 굵기였다. 화장실에 들러서 머리 감다가 빠진 딸아이의 머리카락 하나를 집어 들었다. 그리고 소중한 내 머리카락 하나를 뽑아 둘의 굵기를 비교해 보았다. 얼핏 봐도 회색에 가까운 내 것이 시커먼 딸아이 것의 오 분의 일도 안되는 것 같았다. 항암 시작할 때 들었던 의사 선생님의 얘기가 생각났다. 의사 선생님은 항암이 끝나면 빠졌던 머리카락도 다시 본래의 상태로 돌아온다며 걱정하지 말라고 했다. 머리가 다시 나기는 했으나 아무리 봐도 본래의 상태는 아니었다. 얼마나 더 기다려야 본래의 모양을 되찾을 수 있나. 혹시 모발 세포가 독한 약물에 너무 심하게 침탈당해서 정상적인 회복이 불가능한 지경이 된 건 아닐까. 병기가 4기였으니까, 그래서 항암 때마다 그 큰 항암 약 한 병씩을 다 쏟아 부었으니까 충분히 그럴만도 했다. 그렇다면, 정말 그렇다면 숱이 많아 빗질이 힘들 정도였던 내 머리는 불과 몇 달 만에 슬픈 추억이 되어야만 했다.

머리 문제로 며칠을 더 끙끙대다가 생각을 고쳐먹었다. 개구리 올챙이 시절 잊는다고 항암 할 때의 끔찍한 시간을 떠올리면, 더 이상 고통 없이 머리숱이 이만큼이라도 나 있는 것이 그저 고마울 따름이었다. 첫 항암 하는 날 가발 가게를 방문했을 때, 자포자기의 심정으로 아무 느낌 없이 가발 하나를 집어 들었을 때가 생각났다. 까짓거 머리숱이 좀 부족하면 어때. 정말로 보기 싫으면 언젠가 상상했듯이 가족과 친구들이랑 웃으면서 멋진 가발을 의논해서 만들어 쓰면 그만이지.

갑자기 모자를 벗는다는 것이 쉽지 않았다. 종일 사무실 책상에 앉아 있는 것도 아니고, 학생들 앞 교단에 서야 하는 직업이다 보니 여간 신경 쓰이는 것이 아니었다. 그러나 하루라도 빨리 정상인이 되고 싶은 마음에, 그리고 나날이 날씨가 더워지기도 해서 과감히 모자를 벗어 버리기로 결심했다. 처음 모자를 벗고 출근하던 날, 사람들 모두 아직 성기기 이를 데 없는 내 머리숱만 쳐다보는 것 같아 잔뜩 움츠러들었으나 예상과 달리 사람들은 내 머리에는 별 관심을 보이지 않았다.

어느 날은 면도를 다시 하기 시작했고, 어느 날은 눈썹 그리는 것을 그만두었으며, 또 어느 날은 다시 미장원을 찾아 머리를 다듬었다. 몸 이곳저곳이 하나씩 제자리로 돌아가고 있었으나 딱 하나 좀처럼 변하지 않는 것이 있었다. 바로 손끝과 발끝이었다. 마지막 항암을 전후해서는 손가락 끝과 발가락 끝이 정말 심각한 상태로까지 전락했었다. 손발톱이 먹물처럼 새까맣게 변한 것은 진작이었고 나중에는 그 딱딱하던 손발톱에 물결 같은 주름까지 잡히는 것이었다.

그 당시 아침에 눈만 뜨면 간밤에 몸이 얼마나 정상으로 돌아왔나 체크 하는 게 일상이었는데, 다른 곳들을 살펴볼 때는 입가에 미소가 번지다가도 손발에만 시선이 가 닿으면 굳은 표정으로 한참을 들여다보곤 했다. 특히 손가락이 문제였다. 그도 그럴 것이 발가락은 양말에 감춰지지만, 분필을 잡아야 하는 손가락은 학생들 앞에 또렷이 드러나게 마련이었다. 그래서 하얀 분필 가루를 손가락에 잔뜩 묻히는 일이 출근하자마자 하는 첫 번째 업무였다.

절대 안 변할 것 같던 손가락의 색깔도 그해 1학기가 거의 끝나갈 무렵이 되니까 변화의 조짐을 보이기 시작했다. 손 발가락을 제외하면 그때는 이미 거의 모든 것이 제자리로 돌아와 있었다. 어지럼증은 완전히 사라졌고 미용실도 두 번을 더 다녀왔으며 구름산 등산 시간은 거의 절반으로 단축되어 있었다.

하루는, 그날도 학교를 마친 후 여느 날처럼 구름산 등산을 하고 7시쯤 집에 왔는데 거실에 불이 꺼져 있었다. 지금까지 한 번도 이런 일이 없었고, 아내는 평소 내가 일정한 시각에 저녁 식사하는 것을 마치 계율처럼 여기던 터라, 지금쯤이면 저녁 준비하느라 바쁠 텐데 불 꺼진 거실은 낯설게만 느껴졌다. 오늘은 아내에게 무슨 중요한 일이 있나 보다 생각하며 불을 켜는데, 이런! 아내가 거실 소파에 비스듬히 앉은 채 잠을 자는 것이 아닌가. 복장도 아침에 출근할 때 입었던 그대로였다. 바로 그때였다. 소파 팔걸이에 올려진 아내의 팔에 채워진 낡은 금속 시계가 눈에 또렷이 들어왔다.

아주 오래전 아내와 난 손목시계와 반지 하나씩을 결혼 징표로 주고받았다. 세월이 지나자 지극히 평범했던 손목시계는 몇 번의 수리로 수명을 연장하더니 어느 날 기어이 시간 가리킴을 포기하고 말았다. 이후 아내는 어디서 구했는지 소박한 금속 손목시계 하나를 차고 오더니, 시간은 결혼 때 받은 시계보다 더 잘 맞는다고 자랑하며 활짝 웃었다.

아내는 분수에 맞게 행동하는 지극히 평범한 사람이다. 이 사람의 바램 역시 지극히 보편적이고 일반적이었다. 그저 남들처럼 가족 모두 건강하고, 아이들도 정상적으로 자라서 나중에 도드라지게 부러움을 받는 직업은 아니어도, 사회에서 소외되지 않는 삶을 살아주길 바라는 정도였다.

그렇게 큰 욕심 없이 살아가던 착한 아내가 청천벽력과 같은 소식을 듣던 날부터 무섭게 변해가고 있었다. 그녀도 남편이 세상을 떠난 상황을 한번은 상상했을 것이다. 젊은 시절 사흘이 멀다고 싸웠어도, 수십 년 쌓은 정을 하루아침에 잃어버릴 수 있음도 생각했을 것이다. 아침 6시에 일어나던 사람이 새벽 4시면 어김없이 일어나 장어구이, 최상급 한우 소고기 요리 등 남편이 종일토록 먹을 음식을 준비해 놓고 학교로 출근했다. 일주일에 한 번씩은 노량진 수산시장에 들러 팔뚝만 한 장어들을 살아 있는 채로 들통으로 한가득 사서 와서는 그대로 불에 올려놓고 그들과 생사를 건 처절한 승부를 벌였다. 이미 언급했듯이 내가 다시 출근하면서부터는 본인의 학교 업무도 바쁠 텐데 내게 갓 지은 점심밥을 먹이기 위해 점심시간에 집에 왔다가는 수고스러움을 마다하지 않았다. 그러고도 아내는 지치지 않았다. 눈에는 불꽃이 일었다. 어느덧 아내는 전사로 변해있었다. 남편을 살릴 수만 있다면 지옥 불도 다녀올 태세였다.

　골수에 암세포가 전이됐다는 말을 듣고 사흘쯤 지났을 때의 일이다. 병원비 중간 계산을 할 게 있다며 다녀오겠다고 병실을 나간 아내가 오 분도 채 지나지 않아 다시 헐레벌떡 들어왔다. 그리고 얼굴이 사색이 된 채 소리를 질렀다. 손가방을 잃어버려 큰일 났다고. 그리고 그 손가방 안에는 병원 카드며 신용 카드 등 모든 게 다 들어있다고. 그런데 가만히 보니 아내의 왼손에는 늘 들고 다니던 손가방이 들려있었다. 아내에게 말했다. 지금 손에 들고 있는 가방이 혹시 찾고 있는 가방이 아니냐고. 가방을 확인한 아내는 이렇게 말했다.

　"아니 가방이 왜 여기 있지?"

　지금 생각하면 그 당시 아내는 정신이 반쯤 나가 있었던 것 같다.

　집안에는 항암에 좋다는 온갖 것들이 쌓여가고 있었다. 매일 아침 갈아 먹는 당근이 거실 한쪽에 박스째 놓여 있고, 흑마늘 찌는 냄새가 어찌나 독한지 이웃에게 피해를 주지 않을까 염려될 지경이었다. 누구한테 들었는지 하루는 개똥쑥이 암에 좋다며 한 아름이나 안고 들어오고, 또 어떤 날은 이름부터 생소한 비름나물을 찾겠다며 종일 전화기를 붙들고 있었다.

아내의 정성은 이것이 다가 아니었다. 결정판은 다른 곳에 있었다. 한 번은 구름산 등산을 마치고 집에 들어섰는데, 거실이 처음 보는 이상한 나뭇가지들로 가득 차 있는 게 아닌가. 겨우살이라는 이것을 구하기 위해 시골에 사는 오촌 당숙에게까지 부탁해서 정말 겨우겨우 구했다며 마치 만병통치약이라도 얻은 듯 기세가 등등했다. 개똥쑥이니 겨우살이니 하는 것들이 항암에 직접적인 효과가 있는지는 아직도 잘 모른다. 사람이 극한 상황에 몰리게 되면 조물주를 찾고 기도를 한다. 무릎을 꿇고 반드시 두 손을 모아야만 간절한 마음이 조물주에 전달된다고 생각하지 않는다. 개똥쑥과 겨우살이도 정성을 들여 달여 먹는다면 그 또한 합장한 기도에 버금가는 효과를 얻지 않을까.

세 끼 식사 외에 이것저것 챙겨 먹는 가지 수가 열 손가락이 부족할 지경인데 항암에 좋다는 보조식품까지 닥치는 대로 먹다가는 암을 치료하기 전에 배가 먼저 터질지도 모를 지경이었다.

소파에서 잠든 아내에게 홑이불 한 장을 덮어 주었다. 침대에서 편하게 자라고 깨울까도 생각했지만, 오히려 그것이 단잠을 방해할까 싶어 그만두었다. 그리고는 잠든 아내의 모습을 물끄러미 바라보았다. 머리털도 다시 나고 누렇게 들떴던 얼굴도 다시 생기를 찾고, 입술을 뒤덮었던 물집들도 하나둘 사라지니까 아내도 조금은 긴장이 풀렸나 보다. 아내가 잠에서 깰지도 몰라 발소리 죽여가며 작은 방으로 와 지난 몇 달간을 돌아보았다. 마치 폭풍우가 한차례 지나간 듯했다.

수술하고 항암 하는 동안에는 생사를 넘나드느라 아내를 돌아볼 겨를도 고마움을 나타낼 여유도 없었다. 어느덧 중년에 접어든 여자의 몸으로 직장에서 힘들게 일하고 돌아오면, 오늘은 무슨 무슨 일 때문에 힘들었다고 얘기하며 위로받고 싶었을 것이다. 그런데 위로 받기는커녕, 아픈 남편이 행여 용기마저 잃게 될까 걱정되어 힘들어 도 힘들지 않은 척, 무서워도 무섭지 않은 척 연기 하느라 속은 골병이 들었을 것이다. 그동안 얼마나 힘이 들었을까. 얼마나 피곤하면 내가 온 줄도 모르고 저렇게 쓰러져 자고 있을까. 잠시 뒤 잠에서 깬 아내는 왜 진작 자기를 깨우지 않았냐며 서둘러 부엌으로 들어갔다. 그 일이 있은 후 우리는 다시 일상으로 돌아갔다. 그러나 소파에서 잠자던 아내에게서 본 낡은 금속 시계가 좀처럼 뇌리에서 지워지지 않았다.

아침부터 아내는 외출 준비에 바빴다. 베란다 창문은 모두 닫혔는지, 가스 밸브는 잠겼는지 이방 저방 일일이 확인을 하는 것이 아내의 외출 준비였다. 둘이서만 오롯이 외출하는 것이 얼마 만인지 모른다. 이리저리 바삐 움직이는 아내의 발길에서 소풍 가는 아이처럼 들뜬 기운이 전해졌다. 어제 저녁 식사 시간이었다. 난 며칠을 벼르던 얘기를 꺼냈다. 당신 시계가 너무 낡았으니 새로 하나 사자고. 그러나 아내는 펄쩍 뛰었다. 멀쩡히 잘만 가는 시계를 왜 바꾸려고 하냐며. 이런 아내의 반응을 예상 못한 것은 아니었다.

아내는 내가 암에 걸린 이후 단 한 번도 집안 형편에 대해 얘기한 적이 없었다. 큰아이가 대학에 다니고 작은 아이가 고등학교에 다니고 있어 학비며 용돈 대기가 만만찮았으나, 그래도 부부 교사이고 아내의 알뜰한 살림살이 덕분에 경제적 어려움은 크게 느끼지 못하고 있었다. 그러나 내가 본격적으로 병원을 드나들면서 들어가는 돈이 만만찮았다. 아내는 한 번도 병원비 영수증을 내게 보여준 적이 없지만, 꼭 눈으로 봐야 알 수 있는 건 아니었다. 게다가 비싼 장어나 소고기 같이 내 입속으로 들어가는 돈도 상당했다. 내 병으로 인해 당장 가세가 기우는 정도는 아니어도 한 번 크게 놀란 아내는 경제적으로 최악의 경우를 대비하고 있었을 것이 분명했다. 상황이 이런데 내가 시계를 사자며 말을 꺼낸 것이다. 아내는 쓸데없는 곳에 돈을 쓸 수 없다며 완강했다. 나도 물러서지 않았다. 한참을 옥신각신 한 끝에 그리 비싸지 않은 시계를 사는 것으로 합의를 봤다. 손목시계 하나로 아내가 얼마나 위로받을지 모른다. 다만 이 어려운 시간이 다 지나고 다시 평화가 찾아왔을 때 이렇게 말하고 싶다. 고마운 마음을 어떻게 전할지 몰라 겨우 생각해 낸 것이 시계 선물이었다고.

다시 절망 속으로

"엑스레이상으로 봐서는 좋지 않습니다."

흉부 촬영 사진을 한참 들여다본 낯선 의사 선생님은 어렵게 입을 뗐다. 오늘은 무슨 이유에선지 항암 초기부터 지금까지 날 치료해 오신, 경험 많고 나이 지긋하신 선생님이 아닌 처음 보는 젊은 의사가 진료실을 지키고 있었다.

"무슨 말씀이신지요"

나도 모르게 몸을 일으키며 형광등 아래 걸린 엑스레이 사진 앞으로 다가서며 물었다. 동요하는 내 모습에 그 젊은 의사는 한층 더 차분해진 목소리로 말을 이어갔다.

"왼쪽 가슴에 허옇게 보이는 부분 보이죠?"

그러고 보니 오른쪽 가슴에는 없는 희뿌연 안개 같은 것이 왼쪽 가슴에 보였다.

"확실한 건 검사를 더 해 봐야겠지만 암이 재발한 것일 수도 있습니다."

석 달 만에 다시 찾은 병원에서 들은 청천벽력 같은 소식이었다. 그동안 어떤 고초를 겪으며 여기까지 왔는데, 암이 재발했다니 믿을 수가 없었다. 림프암은 혈액암의 일종이어서 암세포가 혈관을 타고 이동하기 때문에 신체 어느 곳에나 병변을 일으킬 수 있다. 그 말은 재발 확률이 높다는 뜻이기도 했다. 암이 재발했다는 것은, 그동안의 독한 치료에도 암세포가 완전히 없어지지 않고 일부는 죽은 듯 엎드려있다가 자신들을 공격하는 약이 더 이상 들어오지 않자 다시 살아나서 활동한다는 것을 의미한다. 마치 모기약에 의해 잠시 기절했다가 다시 살아나 피를 빠는 모기처럼. 4기 암세포였으니 생명력이 질기기도 했을 것이다. 이렇게 모질게 다시 살아난 암세포는 전에 썼던 같은 약물로는 잘 다스려지지 않는 특징이 있다. 그렇다면 더 독한 약물을 써야 하고, 이제 겨우 회복이 시작된 심신은 다시 나락으로, 아니 더 깊은 수렁으로 빠져들게 뻔했다.

그러나 암이 재발했다는 말에 선뜻 동의가 가지 않았다. 왜냐하면 항암은 끝났어도 먹는 것이며 운동이며 어느 하나 소홀히 하지 않았고, 게다가 몸 상태가 하루가 다르게 좋아지고 있기 때문이었다.

섭취하는 모든 음식은 아내의 검증과 허락이 있어야했다. 구름산 입구에는 음식점 여러 개가 있었다. 어느 집인지는 정확히 모르나 그 음식점 중 한 곳이 돼지갈비를 굽는 집인 것은 분명했다. 오후 6시경에 등산을 마치고 내려오면 늘 달콤한 돼지갈비 굽는 냄새가 코끝을 자극했다. 그 시각은 직장에서 퇴근하고 등산까지 한 뒤라 가장 배가 고플 시간인데 그 달콤한 고기 굽는 냄새는 하루도 거르는 날이 없었다. 냄새를 따라가면 그리 멀지 않은 곳에 있을 것이 확실한데도 난 한 번도 돼지갈비 굽는 집을 찾지 않았다. 왜냐하면 돼지갈비는 지방이 많다고 아내가 허락한 음식이 아니었기 때문이다. 솔직히 돼지갈비가 암 환자에 도움이 되는지 아닌지는 그때도 지금도 잘 모른다. 다만 술과 담배가 일반인의 몸에도 해로워 멀리해야 한다고 회자 되는 것처럼, 암 환자는 중병에 걸렸기 때문에 일반인보다 조심하고 멀리해야 하는 음식들이 훨씬 많아야 한다는 막연한 믿음 속에 돼지갈비도 억울하게 포함되었을지도 모른다.

몸 상태가 좋아지면서 운동에도 더욱 정성을 쏟았다. 게다가 해가 길어져 평일에는 퇴근 후 구름산에 붙어 있는 가학산과 서독산까지 다녀왔다. 주말에는 넉넉한 시간에다 좀 더 힘든 곳에 도전하고 싶어 관악산이나, 어떤 때는 북한산 정상까지 오를 때도 있었다. 물론 하루쯤 쉬고 싶은 날도 있었다. 그러나 힘들고 무서웠던 기억들은 저절로 발길을 산으로 향하게 했다.

그렇게 기도하는 심정으로 먹는 것에서부터 생활 습관에 이르기까지 열과 성을 다했으니 혈액 검사든 흉부 촬영 검사든 그 어떤 검사에서도 최상의 결과가 나와야 하는 것은 당연한 것으로 여겼다. 그런데 좋은 소식을 기대하고 병원에 온 것과는 달리, 암의 재발 소식은 엄청난 크기의 파도가 되어 나의 기대와 희망을 그대로 덮치고 말았다. 그리고 또다시 MRI, CT, PET 등 길고도 지루한 검사가 기다리고 있었다.

PET 검사실에 들어섰다. 처음 암 병기 판정받을 때, 4차 항암 후 중간 검사 때, 그리고 암이 정말로 재발했는지 확인하기 위한 이번까지 세 번째 방문이다. 이 검사는 검사하는 시간 내내 몸과 마음이 편안해야 하는 속성을 가지고 있다. 암과 관련된 모든 검사가 유쾌할 리 없지만, 그 결과에 따라 삶과 죽음이 교차하는 아슬아슬한 순간마다 이 PET 검사를 해 온 터라, 속성과 달리 이 검사를 할 때마다 평온한 심신을 유지하기가 힘들었다. 나를 보자마자 젊은 검사원 친구가 대뜸 말했다.

"화장실에 다녀오세요."

조금 전에 화장실에 다녀왔다고 말했으나 그는 다시 한번 더 다녀오라고 했다. 이곳 방문이 세 번째라는 경력을 무시 받는 느낌까지 들어 괜찮다고 잘라 말한 후 몸이 반쯤이나 잠기는 안락한 소파에 앉아버렸다.

양전자 단층 촬영이라는 PET 검사는 양전자를 방출하는 방사성 의약품을 이용하여 각종 암에 대한 진단, 병기 설정, 재발 평가 등에 유용한 검사이다. 이 검사의 특징 중 하나는 검사 전에 충분한 수분을 섭취하는 것이다. 이미 몇 번의 PET 검사를 받아봤기에 검사 직전에 병원 음수대를 이용해 1리터에 가까운 물을 마셨다.

많은 환자를 경험해 본 젊은 검사원은 방사성 의약품 정맥 주사부터 영상 촬영 종료까지 거의 2시간이나 걸리고 일단 검사가 시작되면 절대 안정을 위해 화장실 출입이 제한되기 때문에 화장실을 한번 더 다녀올 것을 권했으나 난 무시를 한 것이었다. 그러나 검사가 시작되고 한 시간이 채 지나지 않아 우려가 현실로 나타났다. 난 어쩔 수 없이 젊은 검사원에게 권고를 무시한 잘못을 인정하고 화장실에 다녀오겠다고 했다. 암 재발 여부를 알아보는 심각한 검사여서 그러잖아도 신경이 곤두서있어 마음의 안정을 찾기가 어려운데, 부스럭거리며 일어나 화장실까지 갔다 온다면 안정은 고사하고 제대로 된 검사나 될까 염려되었다. 그러나 억지로 참고 있으면 더 일이 꼬일 것 같아 시간이 좀 남아 있을 때 말을 하는 것이 그나마 좋을 것 같다고 판단했다. 검사원은 가벼운 웃음과 함께 어쩔 수 없이 허락은 했으나 그 웃음이 그냥 웃음이 아니라 날 한심하다고 여기는 비웃음도 함께 들어있는 것 같아 마음은 몹시 불편했다.

3주마다 항암을 할 때는 왜 항암 주기가 4주가 아닌지 불만이었다. 매일 아침 신문을 보면서, 세계에서 가장 권위 있는 의사 협회에서 항암 주기를 3주에서 4주로 변경하기로 했다는 기사가 어느 날 갑자기 신문 지면에 실리기를 간절히 바랐다. 그때는 항암 주기가 한 주만 더 늘어나도 숨통이 트일 것 같았다. 그런데 석 달 뒤에 다시 병원에 오라는 의사 선생님의 지시를 들었으니 그 기간이 마치 영원처럼 편하게만 느껴졌다. 그러나 석 달이라는 시간은 생각보다 짧았다.

요즘은 말도 안 되는 얘기지만, 내가 중학교 시절 담임 선생님은 지나치게 떠드는 학급 전체 학생들에게 의자를 들고 서 있게 하는 벌을 내리곤 했다. 그때는 의자를 들고 서 있는 단 몇 분이 하루처럼 느껴지다가도, 의자를 내려놓기만 하면 언제 그랬냐는 식으로 다시 떠들고 장난치며 하루가 단 몇 분처럼 훌쩍 지나가 버렸다.

이처럼 항암도 고통도 없는 석 달의 시간은 언제 지나갔는지도 모르게 지나가 버렸다. 그러나 그 석 달간의 시간을 정신 놓고 아무렇게다 보낸 것은 아니었다. 장어며 흑마늘이며 먹는 것도 항암 할 때와 똑같이 하려고 노력했고, 구름산 등산도 절대 거르는 일이 없었다. 등산을 거르기는커녕, 앞에서 언급했듯이 구름산보다 훨씬 더 높은 관악산이나 북한산에 도전하기도 했다. 이왕에 관악산 얘기가 나왔으니 창피해서 안 하려고 했는데 그 산에 얽힌 얘기 하나 하고 넘어가야겠다.

4차 항암이 끝나고 중간 검사 결과를 기다리던 때였다. 하루하루가 불안과 긴장의 연속이었다. 다른 때 같으면 구름산 등산으로 땀 흘리고 정신없이 하루를 살다 보면 불안과 걱정은 어느 틈엔가 사라지곤 했다. 그러나 죽느냐 사느냐의 결과만이 기다리는 천 길 낭떠러지를 바로 옆에 둔 좁디좁은 갈림길에선, 야트막한 구름산은 도저히 안식처가 될 수 없었다. 더 많은 땀 흘림이 필요했고, 더 가쁘게 몰아쉬는 숨이 필요했다. 그렇게 극한의 상태로 몸을 내몰지 않고서는, 밤낮을 가리지 않고 괴롭히는 이 지긋지긋한 불안과 걱정에서 도저히 벗어날 수 없을 것 같았다. 그래서 선택한 것이 관악산 등산이었다. 극기를 위한 선택이었으니 기왕이면 힘든 코스를 골랐고 아무리 힘이 들더라도 목표는 당연히 정상까지 오르는 것이었다. 관악산에 접근하는 길이 여러 개 있지만, 정상인 연주대에 오르는 최종적인 길은 딱 두 개뿐이다. 하나는 깔딱고개나 연주암 쪽에서 오르는 상대적으로 쉬운 길이 있고, 사당동 쪽에서 시작해 마당바위를 거쳐 접근하는, 상당히 힘들고 험한 코스가 또 다른 길이다. 나는 마당바위 쪽에서 접근하는 코스를 선택했다. 지금은 그 코스가 험난한 구간마다 계단을 설치해 위험도가 크게 낮아졌으나, 그때는 계단이 전혀 없고, 특히 마지막 암벽 구간은 몇 개의 쇠줄만이 바위에 박혀 있어 사람들은 까마득한 절벽을 오를 때 그 쇠줄 하나에만 중심을 의지한 채 아슬아슬하게 마지막 고비를 넘겼다. 사람들은 그 마지막 암벽을 오를 때는 절대 아래를 내려보지 말라고 말했다. 그만큼 위험하고 만에 하나라도 그 쇠줄을 놓치는 날에는 그야말로 이 세상과의 인연은 끝이라는 얘기였다.

드디어 내 앞에 섰던 사람이 그 쇠줄을 잡으러 떠났다. 다음은 내 차례다. 성치 않은 몸으로 왜 이런 무모한 선택을 했는지 한줄기 후회가 지나갔다. 뒤를 돌아보았다. 해발 600미터나 되는 좁은 바윗길에 많은 사람이 그 쇠줄을 붙잡으러 길게 늘어 서 있는 모습이 눈에 들어왔다. 돌아갈 수도 없다. 이젠 선택의 여지마저 없어진 것이다. 어쩔 수 없이 쇠줄을 잡았다. 어찌나 땀이 많이 나는지 민둥산 머리를 감추려 쓴 곤 색 스카프가 땀에 젖다 못해 마치 흠뻑 적신 물수건을 올려놓은 듯했다. 한발 한발 앞사람 뒤꿈치만 보고 따라 올랐다. 얼마나 올랐을까. 절벽 오르기가 잠시 정체된 순간에 하지 말아야 할 행동을 하고 말았다. 사람들의 경고를 무시하고 아래를 내려다본 것이다. 사람의 심리가 원래 그렇지 않은가. 하지 말라고 하면 더 하고 싶어지는 것처럼. 사람들이 왜 아래를 보지 말라고 했는지 이해가 갔다. 절벽이 엄청나게 높은 건 아니지만, 저 아래 삐죽삐죽하게 아무렇게나 놓여 있는 바위들과, 무심한 햇살을 받아 유난히 단단하게 느껴지는 수직으로 선 화강암의 질감은 엄청난 공포심을 불러일으키기에 충분했다. 바로 그때였다. 쇠줄을 그냥 놓아버릴까 하는 생각이 스치고 지나갔다. 그러면 어떻게 될까. 모든 걱정과 두려움에서 해방될 것이다. 중간 검사 결과가 어떻게 나올지 속 끓이지 않아도 된다. 외출할 때마다 아내 화장품으로 눈썹을 그리지 않아도 되고, 저녁마다 저린 발을 주무르는 아내와 두 딸의 수고로움도 없어질 것이다. 눈 한번 질끈 감으면 그만이었다. 그런데, 그런데 차마 손을 놓지 못했다. 물론 눈 한번 질끈 감을 용기도 없었지만 여기까지 온 시간과 노력이 아까웠다. 손을 놓더라도 중간 검사 결과나 보고 놓자고 생각하며 쇠줄을 당겨 정상을 향해 한 발 더 올라섰다.

암의 재발은 정말 심각한 문제이므로 PET 검사를 비롯해 처음 암 판정받았을 때와 같이 모든 검사를 다시 했다. 결과는 3일 뒤에 나온다고 했다. 암이 재발했을지도 모른다는 의사 선생님의 한마디는 하루아침에 모든 의욕과 용기를 앗아 가버렸다. 음식을 먹어도 맛을 몰랐다. 처음으로 등산을 포기했다. 다리에 힘이 빠져 걸을 수가 없었다. 그렇다고 편히 앉아 있을 수도 없었다. 암 판정 이후로 살얼음을 걷듯이 살았다. 숨 쉬는 것조차 조심스러워 담배 피는 사람 옆을 지날 때는 입을 틀어막았다. 그렇게 조심하고 또 조심했는데 재발이라니 너무 억울하고 참담했다. 어제부터 아내도 말이 없다. 실망한 표정을 감추느라 돌아선 채 도마질 소리만 요란했다. 세상 모든 사물이 돌아앉은 채 날 외면하고 있었다. 난 생각에 빠져들었다. 정말 재발한 것이 맞는다면 어떡하지. 그렇다고 걱정하고 불안에 떨고만 있을 수 없었다. 직장의 한 부서를 이끌던 리더로서, 한 가정의 가장으로서 마지막까지 의연하고 책임 있는 모습을 보이고 싶었다. 비록 속은 까맣게 타들어 갈지라도. 최악의 상황을 가정하고 정리해야 했다. 그리고 결정해야 했다. 그 결정을 나 말고 누가 대신 할 수 있겠나.

일단 재발했을 때를 가정해보자. 그러면 다시 항암을 시작할 것이다. 그때는 이전보다 더 독한 약을 쓰거나 더 많은 약을 투입하겠지. 그리고 이제 막 자리 잡기 시작한 머리카락은 다시 몽땅 빠지고 손발도 다시 까맣게 타들어 가고. 다시 항암을 한다는 것은 그나마 운이 좋았을 때의 얘기고, 어쩌면 바로 조혈모세포 이식 단계로 넘어갈지도 몰라. 다시 항암을 하고, 골수 이식을 한다 해서 또다시 재발하지 않는다는 보장도 없잖아. 이렇게 반복해서 시달리다가 결국은 죽음을 맞이하게 되겠지. 마지막 눈을 감는 순간, 그래도 살아 보려고 최선을 다했다는 것이 과연 위안이 될까. 몇 번을 생각해도 그건 최선을 다한 것이 아니라 바보 같은 행동이었다. 마지막은 조금이라도 나은 모습을 갖춘 채 가고 싶었다. 침대 위에 주검이 눕혀 있고 사람들이 다가와 하얀 시트를 걷었을 때 드러난 나의 모습을 상상해 보았다. 뼈만 남은 앙상한 몰골, 민둥산 머리, 온통 물집으로 뒤덮인 입술. 두 딸에게 아빠의 이런 모습을 마지막으로 기억하게 할 순 없었다.

오래전 항암 포기를 선언한, 대장내시경 탈의실에서 만났던 남자가 생각났다. 그는 자기한테 항암은 무의미하다며 산으로 간다고 했다. 그의 비장한 표정에서 죽음을 무릅쓴 결정임을 읽을 수 있었다. 난 그때 그의 판단이 틀렸다고 생각했다. 과연 그럴까. 나처럼 그 모진 항암 과정을 겪고도 암이 재발했을지 몰라 이렇게 전전긍긍한다면 그의 판단이 옳았다고 해야 하지 않을까. 병색이 완연하고 왜소해 보였던 그는 어디서 그런 용기가 났을까. 어쩌면 지금쯤 이 세상 사람이 아닐지도 모른다. 남들보다 조금 일찍 세상을 떠난다고 그는 후회하지 않았을 것이다.

이제는 내가 용기를 낼 차례인가 보다.

일곱 색깔 무지개

운명의 순간이 하루 앞으로 다가왔다. 이제는 암이 재발했을 때를 가정하고 정말 최종 결정을 내려야 했다. 대장내시경 탈의실 남자처럼 현대 의학에는 더 이상 기대지 않고 산속으로 들어가야 하나. 그러고 보니 산속에서 맑은 공기 마시며 규칙적으로 운동하고 신선한 채소 위주로 식단 조절을 했더니 암 덩어리의 크기가 줄어들었다는 얘기를 들은 것 같기도 했다. 언젠가 TV에서 항암은 치료 확률을 일정 비율 높여주는 역할을 할 뿐이며, 그 높여주는 비율 또한 그다지 크지 않다는 내용의 방송을 본 적이 있다. 물론 그 크지 않는 비율도 의학적인 면에서는 무시할 수 없다는 설명이 있긴 했다.

머리가 터질 것 같아 밖으로 나왔다. 그리고 무작정 걸었다. 걷고 또 걸었다. 정말 암이 재발했을까. 그런데 그 부위가 하필이면 왼쪽 가슴일까. 정확한 기억은 아니지만, 암이 재발한다면 그 위치가 처음 발병한 부위가 될 확률이 가장 높다는 얘기를 들은 것 같다. 돌아보면 최초 암 선고 이후 지금까지 단 하루도 몸과 마음이 편한 날이 없었다. 고단함과 긴장의 연속이었다. 항암이 끝나고 지금까지의 석 달간도 혹시나 암이 재발하지 않을까 걱정되어 한시도 긴장의 끈을 늦춘 적이 없지만, 한창 항암에 시달릴 때를 생각하면 그나마 행복을 가져 본 시간이었다. 그런데 이제 그 짧디짧은 행복마저 끝을 보이고 있었다.

어떻게 해야 하나. 안양천 둑 방 길이 끝나갈 무렵 결심했다. 암이 재발했다면 더 이상의 병원 신세는 지지 않기로. 이렇게 결심한 데는, 암 재발 환자가 완치되었다는 얘기를 별로 듣지 못한 까닭도 있었지만, 그게 결심 이유의 전부는 아니었다. 어차피 죽게 되어 있는데, 구차한 모습 보이며 몇 년을 더 살아 있는 들 무슨 의미가 있을까. 마지막 순간, 누렇게 삭아 버린 얼굴이 아닌 그나마 사람다운 모습을 갖춘 채 당당히 죽음을 받아들이는 아빠의 모습을 보이는 것이 두 딸에게 줄 수 있는 마지막 선물이라고 생각했다.

그날 저녁 아내와 마주 앉았다. 그리고 내일 있을 검사 결과의 가정을 얘기하고 내 결심을 얘기했다. 암 소식 이후 처음으로 아내의 눈물을 봤다. 바위도 들어 올릴 것 같던 아내도 더는 버티지 못하고 무너져 내리고 있었다.

진료실 앞 라운지는 여전히 사람들이 많았다. 이곳은 종양과 관련된 진료를 기다리는 사람들을 위한 라운지인데 우리나라에 암 환자가 이렇게 많단 말인가. 드디어 전광판에 내 이름이 올라왔다.

어젯밤은 무척이나 길었다. 온갖 생각이 스치고 지나갔다. 그 많은 생각 중에서 한 가지 생각이 유독 머리에 오래 머물러 있었다. 내가 고등학교 때 일이다. 학생들에게 인기가 많았던 선생님 한 분이 어느 날 결근을 하셨다. 들리는 말에 의하면 위암에 걸리셨다고 했다. 수술하려고 배를 열었는데 이미 암세포가 위의 거의 모든 부분을 뒤덮고 있어 수술을 포기하고 다시 봉합했다고 했다. 이 사실을 전해 들은 주위 사람들은 서로 약속했다. 환자가 받을 충격이 너무 크니까 본인에게는 수술이 잘 되었다고 거짓말을 하기로. 이후 환자는 매일 먹는 진통제를 치료 약으로 알고 몸이 회복되기만을 기다렸다. 며칠이 지나도 몸이 좋아지지 않고 먹는 약의 양만 더 많아지자, 어느 날 환자는 아내에게 물었다. 혹시 수술이 잘못된 게 아니냐고. 아내는 북받쳐 오르는 감정을 더는 숨기지 못하고 그 자리에서 울음을 터트리고 말았다. 모든 사실을 알아버린 선생님은 이후 어떤 모습을 보였을까. 식음을 전폐하고 땅을 치고 통곡했을까. 훗날 들은 얘기에 의하면 정반대의 모습을 보였다고 했다. 선생님은 오히려 평정심을 찾아 잠도 잘 자고 식사도 잘하고, 가짜 치료한답시고 만나지 못했던 지인들도 만나며 마지막 순간까지 의연한 모습을 잃지 않았다고 했다. 결정적인 소식을 접한 나는 과연 어떤 모습을 보일까.

드디어 내 이름이 호출되었다. 의사 선생님은 내가 들어 온 것을 알 텐데도 나한테는 눈길 한 번 주지 않은 채 계속 컴퓨터 화면만 들여다보고 있었다. 그리고 몇 번 고개를 갸우뚱했다. 저 모습은 무슨 의미일까. 몇 달 전 중간 검사 결과를 알려줄 때는 내가 자리에 앉기가 무섭게 결과가 좋다고 얘기했었는데. 심장이 얼어붙었는지 모든 신진대사가 정지된 듯했다. 이윽고 의사 선생님이 몸을 돌려 나를 바라보았다. 그리고 입술이 움직이기 시작했다.

"모든 검사를 종합해 볼 때 재발은 아닌 것 같습니다."

나는 대답하지 않았다. 정확히 말하자면 무슨 말을 해야 할지를 몰랐다. 왜냐하면 이 경우에 대한 대비가 전혀 안 되어 있었기 때문이었다. 그냥 한참 동안 멍하니 의사 선생님만 쳐다봤다.

전날 밤, 잠 한숨 못 자고 수도 없이 연습하고 다짐했었다. 내일 '유감스럽게도 암이 재발했습니다.'라는 말을 듣게 된다면 '예 알겠습니다.'라고 짧게 대답하겠다고. 그리고 고등학교 때 은사님처럼 의연하고 담담한 모습 보이겠다고. 그런데 나쁜 소식에 대비한 행동과 다짐 만을 가정하고 연습했을 뿐, 좋은 소식을 들었을 때 취해야 할 행동에 대해서는 전혀 생각지 않았었다.

의사 선생님의 말씀이 이어졌다.

"엑스레이 사진을 다시 찍어봐야겠습니다."

아마도 지난번 엑스레이 사진에 나타났던, 엷디엷은 뭉게구름 같은 게 보였던 것이 걸리는 모양이다. 엑스레이 사진? 까짓거 열 번이라도 찍지. 더 정확하다는 CT, MRI, PET이 모두 정상으로 나왔는데 뭐가 걱정이겠어? 엑스레이 사진은 워낙 간단하니까 진료실을 나오자마자 곧바로 영상 촬영실로 향했다. 결과는 이전 사진과는 달리 왼쪽 오른쪽 가슴 모두 깨끗했다. 그땐 왜 뭉게구름 같은 것이 사진에 보여서 사람을 이토록 지옥을 경험하게 했을까. 다시 방문한 진료실에서 선생님은 말씀하셨다.

"모든 검사 결과가 정상입니다. 석 달 뒤에 다시 오십시오."

지난번 엑스레이 사진에 보였던 뭉게구름의 정체를 묻고 싶었으나 하지 않았다. 재발하지도 않았는데 왜 그 가능성을 얘기해서 사람을 초주검 만들었는지 따지고 싶었으나 하지 않았다. 검사 결과가 깨끗하다는 한마디가 그저 고맙고, 감사할 뿐이었다. 어쩌면 오늘 건강한 것에 대한 감사함과 고마움을 열 배 백 배 더 느끼도록 하기 위해, 사흘 전 왼쪽 가슴 사진에 뭉게구름이 나타났을지도 모른다.

진료실 문을 나서자 형언할 수 없는 기쁨이 온몸을 통해 발산되었다. 천장에 매달린 형광등 들은 갑자기 일곱 색깔 무지개 빛을 뿜어내고, 라운지에 앉아 있던 수많은 이들이 일제히 일어나 나를 향해 박수를 치고 있었다. 잠시 혼미해졌던 정신을 다시 차리고 주위를 살펴보니 저쪽 구석에 놓여 있는 체중계며 혈압계도 들썩들썩 춤을 추고 있고, 음수대 옆에 놓인 작은 종이컵들도 나를 향해 함박웃음을 짓고 있었다. 나를 위한 축하 공연은 여기서 그치지 않았다. 자동차를 몰고 큰길로 나오니 모든 차들이 기다렸다는 듯이 일제히 전조등을 켜고 경적을 울려대기 시작했다.

다시 일상으로 돌아왔다. 아침 일정한 시각에 기상을 하고 나면 반드시 스트레칭을 했다. 구름산 등산도 다시 하기 시작했다. 직장에서도 등산하면서도, 모든 검사 결과가 정상이라는 의사 선생님의 짧은 한마디가 귓가를 떠나지 않았다. 비록 엄청난 마음 고생이 있었으나 그동안의 노력이 헛되지 않았음을 새삼 증명받은 느낌이 들었다.

알람을 설정해 둔 덕분에 6시 정각에 눈을 떴다. 챙이 긴 모자를 쓰고 낮에 눈이 부실 것 같아 선글라스도 챙겼다. 자전거 타이어에 바람이 충분히 들어 있는지도 점검했다. 많은 음식을 준비할까 생각했으나 등에 질 배낭이 지나치게 무거워질 것 같아 하루치 점심만 넣었다. 아내는 무리라며 한사코 말렸으나 내 의지를 꺾지 못했다.

일상으로 돌아왔으나 흥분은 좀처럼 가라앉지 않았다. 혈액 검사표를 다시 들여다봤다. 항암 기간에는 3주마다 받았으나 석 달 만에 받아 본 혈액은 몰라보게 좋아져 있었다. 콜레스테롤 수치, 간 수치, 혈당 수치 등등 모든 게 완벽히 정상 범위 안에 있었다. 사실 항암 도중 콜레스테롤 수치가 좀 높다며 약을 처방받은 적이 있었다. 약국에서 약을 한 보따리 받아 놓고 고민한 적이 있었다. 콜레스테롤 수치 하나 스스로 못 잡으면서 어떻게 암세포와 싸워 이길 수 있나 하는 오기가 생겨 약 먹기를 거부하고 운동에 더욱 매진했었다. 그런데 이번에 받은 검사표에서 그때의 오기가, 오기가 아닌 담대한 용기였음이 증명되었다. 몸 상태가 하루가 다르게 좋아지는가 싶더니 어느 순간부터는 암에 걸리기 전의 상태로 완전히 돌아간 기분마저 들었다. 암에 걸렸다는 소식이 처음 전해졌을 때 사람들은 내가 암에 걸렸다는 사실보다도, 나처럼 건강한 사람도 암에 걸릴 수 있다는 사실에 더 놀랐다. 그만큼 평소 건강 하나는 자신 있었다.

몸 상태도 옛날의 건강한 상태로 돌아왔고, 암의 재발 소동으로 인해 지옥 문턱까지 갔다 왔으니 세상 모든 것을 다 가진 기분이 들었다. 실제는 기분만 그런 것이 아니었다. 항암 때는 두세 시간씩이나 걸리던 구름산 등산길이 40분이면 충분할 정도까지 되었다. 이런 기분이면, 이런 몸 상태면 태평양도 헤엄쳐 건널 수 있을 것 같고 하늘의 별도 따 올 수 있을 것 같았다. 암이 재발하지 않았다는 행복한 사실에서 시작된 과대망상은 날이 갈수록 심해지더니 기어이 행동으로 옮기는 단계로까지 발전하고 말았다. 바로 자전거로 부산까지 갔다 오는 계획이었다.

한 오 년 전쯤 아주 평범한 자전거 한 대를 샀다. 도로를 쌩쌩 달리는 허리 잔뜩 굽혀 타는 경주용 자전거도 아니고, 값비싼 산악자전거도 아니었다. 그저 날씨가 좋거나 심심할 때, 안양천에 나가 한 바퀴 돌고 오는 데 알맞은 수준의 꽤 무게가 나가는 자전거였다.

아무리 과대망상에 빠졌어도 서울서 부산까지 왕복 거리를 모두 자전거를 탄다는 것은 무리였다. 하여, 갈 때는 자전거를 타고 올 때는 고속버스에 자전거를 싣고 올 참이었다. 어림잡아 3일이면 될 것 같았기에 그 정도의 연휴가 필요했다. 마침 추석 연휴가 안성맞춤으로 눈에 들어왔다.

집을 나와 안양천에 들어왔나 싶더니 어느새 한강 자전거 길을 달리고 있었다. 강바람이 앞가슴을 파고들었다. 이른 아침이기 때문인지 한강에는 배 한 척 떠 있지 않았다. 자전거는 쉬지 않고 달려 여의도를 지나고 흑석동을 지나고 영동대교를 지나니, 저만치 항아리 모양을 한 잠실 종합운동장이 손에 잡힐 듯 가까이 보였다. 적당한 자리에 자전거를 세워두고 처음으로 시계를 봤다. 8시를 가리키고 있었다. 아직 한강도 못 벗어났는데 벌써 두 시간이 지나가 버렸다. 과연 오늘 중으로 목표한 충주 탄금대까지 갈 수 있을까.

무모한 도전

저기 여주보가 보이는데 어떻게든 거기 까지는 가서 쉬고 싶었다. 좀 전에 쉬었는데 20분도 채 못 타고 또다시 자전거를 세울 순 없었다. 점심을 먹은 후부터는 다리가 본격적으로 아프기 시작했다. 다리뿐 아니라 손목과 어깨도 말이 아니었다. 쉬는 시간이 좀 늦어지면 다리에 경련이 왔고, 작은 경사길도 자전거에서 내려 끌고 가기 일쑤였다. 과대망상의 결과가 본격적으로 나타나기 시작한 것이다. 그러나 포기하고 싶은 마음은 전혀 없었다. 열 걸음 걷고 쉬고, 스무 걸음 걷고 쉬면서 구름산을 오를 때와 비교하면 이건 호사에 가까운 것이었다. 그때는 걱정 불안과도 싸워야 했으나 지금은 오히려 그런 것에서 해방되지 않았나. 몸 이곳저곳이 쑤시기는 했지만, 그것을 암이 재발하지 않았다는 소식에 감히 비할 수 있을까. 모든 검사 결과가 정상이라는 말을 다시 한번 되뇌이며 자전거 핸들을 꽉 움켜잡았다.

연휴를 이용해 꽤 많은 사람이 나와서 그런지 남한강 자전거 길은 외롭지 않았다. 저들도 나처럼 나름의 사연과 목표를 갖고 저리도 열심히 자전거 체인을 돌리고 있는 거겠지. 무모한 도전의 길에는 힘든 것만 있는 것은 아니었다. 어느 한 쉼터에서 이십 대로 보이는 젊은 친구 셋을 만났다. 그들은 인천에서 출발했으며 최종 목표는 역시 부산이라고 했다. 그런데 그중 한 친구가 코피를 흘리고 있었다. 아직 남한강도 못 벗어났는데 벌써 코피를 흘리면 어떡하냐고 말하자 나머지 두 친구는 물론, 코피 흘리던 친구까지도 한바탕 크게 웃었다. 그렇게 한마디 건넨 것이 연결 고리가 되어 이후 두 시간 동안이나 그들과 함께 자전거를 타며 외로움과 고단함을 어느 정도 이길 수 있었다.

저녁 7시가 다 되어서 충주 탄금대에 도착했다. 오는 도중 '충주댐 8km'라는 표지를 봤으나 그냥 지나쳤다. 남한강이 시작된다는 충주댐의 풍광을 한번 보고 싶었으나 다리에 힘이 남아 있지 않아 포기했다. 하룻밤 묵을 숙소를 잡은 후 땀에 절인 옷가지를 대충 빨아 널고 쓰러지듯 자리에 누웠다. 일 년처럼 느껴졌던 오늘 하루를 되짚어 볼 겨를도 없이 마치 기절하듯 깊은 잠 속으로 빠져들었다.

얼마나 긴장했는지 놀란 듯 눈을 뜨니 새벽 4시였다. 오늘은 어떡하던지 대구까지는 가야 한다는 생각이 꼭두새벽에 눈을 뜨게 만들었다. 침대에서 몸을 일으키는데 아프지 않은 관절이 없었다. 그냥 몸이 부서지고 있다는 느낌이 들었다.

자전거 길이라고 해서 모든 구간이 자전거만 다니는 전용 도로로 되어 있는 것은 아니었다. 남한강만 하더라도 꽤 여러 구간이 '국토 종단 자전거 길'이라는 푯말과는 안 어울리게 일반 자동차가 다니는 길을 자전거도 함께 달려야 했다. 이를테면 커다란 교각 같은 것이 그런 곳이었다. 그러나 남한강 자전거 길은 문경 새재 자전거 길에 비하면 양반이었다. 오늘의 첫 코스인 탄금대에서 수안보까지는 아예 자전거 길이 없이 코스 전체를 자동차와 함께 달려야 했다. 이른 새벽이어서 통행하는 자동차 수가 적었던 것이 그나마 다행이었다. 다음은 조령과 이화령을 차례로 넘어야 하는 그야말로 난 코스였다. 조령을 넘을 때는, 하룻밤 쉬면서 어느 정도 원기도 회복했고 또 경사도 그리 대단하지 않아 기어를 저단으로 놓은 덕분에 자전거에서 내리지 않고도 어찌어찌 넘을 수가 있었다. 그러나 이화령은 차원이 달랐다. 아무리 저단 기어를 놓더라도 저 가파른 경사길을 자존심을 지키기 위해 자전거에서 내리지 않고 오른다면 아마 10분도 버티지 못할 것 같다는 생각이 들었다. 고개 시작 지점부터 과감히 자전거에서 내렸다. 그리고 끌며 걷기 시작했다. 오늘 내로 대구까지 가야하는 데 필요한 체력을 안배하는 것이 자존심을 지키는 것보다 중요했기 때문이었다. 그러나 어떤 이들은 악착같이 자전거에서 내리지 않았는데, 그 속도는 내가 자전거를 끌면서 걷는 속도보다 오히려 느렸다. 그들은 아마도 속도나 체력 안배보다는 '자전거를 탄 채 이화령을 넘겠다'는 목표에 도전하고 있는 듯했다.

이화령을 오르는 아스팔트 길을 지금은 대부분 자전거가 차지하고 있지만, 저 아래 터널이 뚫리기 전까지는 자동차 길이었다. 정상 부분에 배나무가 많아 이름 붙여진 이화령과 조령은 지형적으로 천혜의 요새다. 전하는 얘기에 의하면, 임진왜란 때 한양을 향하던 왜군을 저지하기 위해 장군 신립은 이곳 문경 새재를 포기하고 탄금대에 배수의 진을 쳤다. 그때 왜군은 새재 지형이 공격을 방어하기에 워낙 좋은 지형이라 척후병을 보내 여러 차례 탐색했으며, 조선군이 전혀 없음을 확인한 왜군은 피 한 방울 흘리지 않고 문경 새재를 통과했다. 신립 장군은 왜 천혜의 요새인 이곳을 버리고 탄금대를 선택해 전멸에 가까운 결과를 초래했을까. 일부 학자들은 그때 문경 새재에서 왜군을 맞아 싸웠다면 임진왜란의 판도가 달랐을지도 모른다고 얘기한다.

이화령 정상에서 바라본 주변 경치는 조금 특이했다. 이곳을 중심으로 양옆으로 흘러내리듯 뻗어나간 산세는 마치 말발굽처럼 무언가를 감싸 안은 듯 온화한 곡선을 이루고 있었다. 그런 형상 때문인지 헐떡거리는 숨소리와는 어울리지 않게 마음은 편안하고 포근했다. 미리 올라온 라이더들이 자전거를 한곳에 모아 놓고 이곳저곳에서 셔터를 누르면서 이곳까지 올라온 기쁨을 나누고 있었다. 나도 그곳에 자전거를 거치시켜 놓고 돌아서는데 뭔가 어색한 것 같아 다시 돌아보았다. 그때 처음으로 알았다. 내 자전거가 다른 것들에 비해 아주 많이 특이하다는 것을. 다른 자전거들은 모두 바퀴도 크고, 튼튼해 보이는 프레임에는 화려한 문자나 그림도 그려져 있었다. 그 속에 파묻혀 있는 작고 외로운 딱 한 대의 자전거가 내 것이었다. 유난히 튼튼해 보이는 자전거 한 대를 들어 보았는데 무게는 내 것보다 오히려 가벼웠다.

지금까진 자전거라면 다 거기서 거기라고 생각했다. 동네에서 가볍게 산책하듯이 타는 자전거나 이번처럼 여러 날에 걸쳐 장거리를 여행할 때 타는 자전거나 모두 비슷하다고 여겼다. 튼튼한 자전거 주인인 듯 한 사람에게 그 자전거를 가리키며 물었다.

"이 자전거는 제 것보다 크고 튼튼해 보이는데 왜 이렇게 가볍죠?"

"재질이 탄소강이어서 가볍습니다. 그런데 저 자전거로 여기를 올라오셨나요? 어디서 오셨습니까? 어디까지 가실 계획인지요."

"어제 아침 일찍 서울에서 출발했어요. 그리고 내일까지 부산에 도착할 생각입니다."

내 자전거를 이리저리 살펴보던 그이는 믿을 수 없다는 표정을 지으며 말을 이어갔다.

"죄송하지만 이 자전거는 동네용이지 지금처럼 장거리를 가는 데는 무리입니다."

나는 살짝 기분이 상해서 다시 물었다.

"자전거는 잘만 나가면 되는 거지 장거리용은 뭐 별다른가요?"

"바로 그겁니다. 자전거는 잘 나가야 힘이 덜 들고 장거리에 유리하지요."

말을 마치기 무섭게 그는 내 자전거와 자기 자전거를 번쩍 들어 나란히 거꾸로 뒤집어 놓았다.

"자 이제 똑같이 두 자전거 페달을 한 바퀴씩 돌릴 겁니다. 잘 관찰 해 보세요"

그리고는 자기 자전거를 먼저 한 바퀴 돌리고는 곧바로 내 자전거를 같은 세기로 한 바퀴 돌렸다. 얼마간의 시간이 흐르자 나중에 돌린 내 자전거는 바퀴가 멈췄는데 먼저 돌린 그의 자전거는 여전히 힘차게 돌고 있었다. 내 자전거가 왜 동네용인지 그제야 깨달았다. 내가 쓰고 있는 챙 달린 일반 모자를 보더니 추궁하는 듯한 그의 질문이 이어졌다.

"헬멧은 어디 있나요? 설마 이 모자를 쓰고 서울에서 부산까지 갈 생각이었나요?"

사실 어제부터 이해가 안 가는 것이 바로 그 점이었다. 머리가 허전하면 나같이 가벼운 일반 모자를 쓰면 될 텐데, 왜 하나같이 딱딱하고 불편한 헬멧을 쓰고 있는지 궁금했다. 물론 그것이 충격으로부터 머리를 보호하는 역할을 한다는 것까지 모르는 건 아니었다. 그러나 여러 날에 걸쳐 타야 하는 장거리 여행이라면 거추장스러운 헬멧 대신 오히려 가볍고 산뜻한 일반 모자가 더 낫지 않을까 생각했었다. 그런데 오늘 생면부지의 사람으로부터 조곤조곤 훈계를 듣고 나서야 내가 지금 얼마나 무모한 일을 저지르고 있는지 깨달을 수 있었다. 머쓱해진 나는 분위기도 바꿀 겸 진작부터 궁금한 것을 질문했다.

"그런데 이 자전거는 가격이 얼마나 하나요?"

"작년에 칠백만 원 주고 샀습니다."

"예? 얼마라고요?"

내 자전거는 삼십만 원 주고 샀는데. 그러나 나는 다시 결의를 다졌다. 비록 싸구려 자전거지만, 비록 헬멧을 쓰지는 못했지만 계속 나아가겠노라고. 그는 알고 있을까. 내가 암이 재발하지 않았다는 사실을. 그래서 원래는 맨몸으로 태평양을 헤엄쳐 건너려던 참이었는데, 많이 양보해서 지금 부산으로 가고 있다는 사실을.

새재 자전거 길은 험난한 고개와 자동차 길만 있는 것은 아니었다. 어떤 곳은 농로를, 또 어떤 곳은 마을을 가로지르게 설계되어 있어, 아기자기한 구석은 있으나 어제 달렸던 남한강 자전거 길 상태에는 확실히 못 미쳤다. 그러나 군데군데 서 있는 푯말은 분명 국토 종단 자전거 길이었다. 어느 고즈넉한 마을을 지날 때였다. 채 열 가구가 못 되는 작은 마을이었는데 나는 자전거를 세웠다. 아니 세울 수밖에 없었다. 길 따라 늘어선 작은 쪽 밭에는 고구마 줄기가 엉켜있고 나지막하게 엎드린 양철 지붕에서는 하얀 연기가 피어올랐다. 게다가 어지럽게 울려 퍼지는 개 짖는 소리까지, 영락없이 내가 태어나고 자란 고향마을 모습이었다. 어떻게든 오늘 안으로 대구까지 가야 한다는 생각을 잊은 채, 자리를 잡고 앉아 막 물들기 시작한 저녁노을을 한참 동안이나 쳐다보았다.

상주보 인근에서 시작하는 낙동강 자전거 길은 새재 자전거 길에 비하면 훨씬 편하고 순탄했다. 시원한 강바람도 다시 만났다. 날이 저물자 오가는 사람들도 거의 자취를 감추었다. 자전거 전용 길은 가로등이 없어서 완전히 어두워지자 무서운 느낌마저 들었다. 더 늦기 전에 조금이라도 더 가야 한다는 생각밖에 없었다. 옆도 뒤도 안 돌아보고 달리고 또 달렸다. 순간적으로 속도를 낼 때마다 자전거 핸들이 흔들리면서 그곳에 매달린 랜턴 빛이 춤을 췄다. 여기가 어디쯤일까. 시선이 닿는 모든 곳에는 불빛 하나 찾을 수 없었다. 그제야 덜컥 겁이 났다. 대구까지 가는 것은 고사하고 당장 오늘 밤 묵을 장소를 찾는 것이 걱정이었다. 기온이 떨어졌는지 한기까지 느껴졌다. 몸은 이미 기력이 다해 당장 자전거에서 내려오고 싶지만 그렇다고 길바닥에서 하룻밤을 보낼 수는 없었다. 희미한 불빛 머금은 민가라도 보이면 좋으련만 보이는 것은 강둑을 따라 끝없이 이어지는 거무스레한 자전거 길 뿐이었다. 그렇게 얼마나 더 달렸을까. 저 앞에 작은 트럭 한 대가 전조등을 켠 채 서 있는 게 눈에 들어왔다. 불이 켜져 있다는 건 빈 차가 아니라 사람도 함께 있다는 걸 의미한다. 이 야심한 시각에, 아무것도 없는 허허벌판에 무슨 일로 트럭이 불을 밝힌 채 서 있을까 의아했으나, 어쩌면 하룻밤 묵을 곳에 대한 정보를 얻을 수 있을지도 모른다는 생각에 다짜고짜 트럭 앞으로 자전거를 몰아갔다. 그러나 말을 먼저 건 쪽은 트럭 운전사였다.

"어디서 오셨나요? 밤이 늦었는데 혹시 묵을 곳이 필요한가요?"

"서울서 왔습니다. 그러잖아도 오늘 잠잘 곳을 찾고 있습니다."

"그럼 우리 집으로 가시지요. 여기서 그리 멀지 않은 곳에 있습니다. 오늘 저녁 식사와 내일 아침 식사를 포함해서 삼만 원입니다."

아니 이렇게 고마울 데가. 이슬 맞지 않고 잠을 잘 수 있게 된 것만도 고마운데 두 끼 식사까지. 그러고 보니 트럭 짐칸에는 이미 먼저 온 라이더 두 명이 타고 있었다. 자전거를 싣고 트럭 짐칸 한쪽 구석에 자리를 잡고 앉았다. 생각할수록 신기했다. 이 시각에 내가 이곳을 지나가게 될 것을 나도 모르고 있었는데 이 트럭 기사분은 어떻게 알고 미리 기다리고 있었을까. 그분은 오랜 경험으로 알고 있었을 것이다. 이 시각쯤이면 나처럼 무모한 라이더 몇 명이 잔뜩 겁에 질린 채 이곳에 나타난다는 것을.

우리가 안내된 곳은 널찍한 마당이 있는 평범한 시골집이었다. 늦은 저녁을 달게 먹은 뒤 마을회관처럼 생긴 별채 이층으로 안내되었는데 그곳이 숙소였다. 널찍한 방에는 이곳저곳에 이부자리가 펴져 있고, 대부분 자리들을 미리 온 사람들이 이미 차지하고 있었다. 그리고 딱 세 자리만 비어 있었는데 그것이 늦게 도착한 우리들의 몫이었다. 그제야 왜 트럭 기사분이 나를 마지막으로 태웠는지 이해가

갔다.

갑자기 하룻밤 룸메이트가 된 이들은 모두 열 명이었다. 한눈에 봐도 그들 모두는 장거리 자전거 라이더들이었다. 어떤 이는 스마트폰을 들여다보고 있고, 또 어떤 이는 이미 나지막한 코 고는 소리를 내고 있었다. 함께 트럭을 타고 온 사람에게 물었다.

"대구는 여기서 얼마나 멀리 있나요?"

사실 이정표도 없는 밤길을 꽤 오래 달렸기 때문에 이곳이 대구에 못 미친 곳인지 아니면 이미 대구를 지났는지를 알 수 없었다.

이부자리를 만지던 그가 날 한번 힐끗 쳐다보더니 대답했다.

"최소 두 시간은 더 가야 합니다."

어제처럼 오늘도 쓰러지듯 자리에 누웠다. 그런데 엉덩이가 너무 아파 누운 채로 엉덩이를 더듬어 보았다. 엄지손가락 크기의 물집이 양쪽 엉덩이 모두에서 만져졌다.

부스럭거리는 소리에 눈을 떴다. 5시가 겨우 넘은 시각인데도 이미 몇 곳은 이부자리가 정돈되어 있었다. 벌써 자전거를 타고 떠난 것이다. 급히 세수하고 챙겨서 내려오니 천막이 쳐진 새벽 야외 식탁은 분주했다. 이제 막 식사를 마치고 저쪽 수돗가에서 양치하고 있는 이가 있는가 하면, 어떤 이는 식사 중이고 또 어떤 이는 식사를 시작하려고 커다란 그릇에 담겨 있는 밥을 작은 그릇으로 옮겨 담고 있었다.

지금 분주히 또 하루를 준비하는 저 사람들은 모두가 장거리 라이더들이다. 먼 길을 자전거로 여행할 때 친구들 여럿이서 같이 웃고 떠들며 자전거를 타면 좋을 것 같지만 실상은 그 반대다. 2박 3일이나 3박 4일처럼 '박'이 들어가는 자전거 길은 엄청난 고통을 수반할 뿐만 아니라 속도, 휴식, 식사 시간, 잠자리 등 순간순간 결정해야 할 것들이 많기에, 의견 충돌로 맘 상하기보다 외롭더라도 차라리 혼자 가는 것을 택하기 때문이다. 그래서 며칠에 걸쳐 자전거 타는 것을 여행이 아닌 도전이라고 한다.

　새벽 자전거 길은 상쾌했다. 어제 새벽을 달렸던 새재 자전거 길과는 달리 낙동강 자전거 길은 차도가 적고 자전거 전용 길이 대부분이었다. 손목과 어깨도 단련이 되었는지 어제보다는 통증이 많이 줄었다. 그런데 엉덩이에 잡힌 물집이 문제였다. 라이딩을 시작한 지 한 시간쯤 지났을 때부터 엉덩이로부터 전해오는 통증의 종류가 달라졌음을 느낄 수 있었다. 좀 쑤시지만 견딜 수 있는 지금까지의 통증과는 달리, 마치 찰과상이 직접 피부에 와 닿는 쓰라린 통증이 느껴지기 시작했다. 새벽에 출발할 때부터 우려했던 일이 기어이 일어난 것이다. 나름 조심한다고 했는데도 양쪽 엉덩이 물집 두 개가 모두 터진 것이다. 항암 할 때의 고통에 비하면 이 정도는 약과라고 생각하고 계속 타려고 했으나 문제는 그리 간단치가 않았다. 터진 물집에서 흘러나온 물 때문에 팬티와 바지까지 엉덩이 살에 붙어 버린 것이다. 한 번 엉덩이 살에 붙은 팬티와 바지가 계속 붙어 있으면 그나마 다행이겠는데, 휴식을 위해 틈틈이 자전거에서 내릴 때마다 붙은 팬티와 바지가 다시 살에서 분리된다는 것이 문제였다. 이 때마다 마치 칼로 살을 베는 듯한 통증이 느껴졌다. 그리고 다시 자전거 안장에 올라앉았을 때, 이번에는 분리되었던 옷과 살이 다시 붙을 때까지의 고통도 감내해야 했다. 항암 할 때는 몸이 늘 고단하고 울렁증이 심해서 힘들었는데, 상처 난 피부가 옷에 들러붙고 떨어질 때의 힘듦은 항암 할 때의 그것과는 차원이 달랐다. 이대로 계속 자전거를 탔다가는 성공을 장담할 수 없을뿐더러 어찌어찌해서 성공한다 해도 상처만 남길 게 뻔했다. 게다가 원래 부산까지 삼 일로 잡았던 일정도 지금의 상태로는 불가능해 보였다. 결국 낙동강과 금호강이 만나는 지점에서 포기 결정을 내렸다.

동대구 터미널에서 자전거를 고속버스에 싣고 서울로 돌아오면서 실패의 원인을 분석했다. 첫째는 과욕이었다. 암이 재발하지 않아서 하늘을 날 수 있을 것 같은 기분과, 자전거로 부산까지 가는 현실을 제대로 구분하지 못한 어리석음이 가장 큰 실패의 원인이었다. 두 번째는 역시 체력이었다. 몸이 거의 회복되었다고는 하나 하루 열 시간 이상씩 자전거를 타기에는 아직은 역부족이었다.

부산 자전거 길에 이제 겨우 한 번 도전했을 뿐이다. 다시 도전할 것이다. 그때는 가볍고 튼튼한 산악자전거로 준비할 것이고 헬멧도 쓸 것이며 남들처럼 엉덩이 부분에 푹신한 패드가 들어간 바지도 입을 것이다. 여섯 번 항암 끝에 기어이 암세포를 이기는 데 성공한 것처럼 국토 종단 자전거 길 도전도 성공할 때까지 끈질기게 계속될 것이다.

요양원의 아름다운 동지들

오늘도 아침 7시 정각에 괘종시계가 울렸다. 난 서둘러 창문을 열었다. 그리고 잠옷을 벗어 던지고 얇은 홑이불을 뒤집어쓰고 가부좌를 틀고 앉았다. 풍욕 할 시간이 된 것이다. 풍욕은 말 그대로 바람으로 목욕을 하는 것이다. 방법은 알몸을 맑은 공기에 노출한 채 일정 시간이 지난 후, 홑이불로 몸을 감싼 채 다시 일정 시간을 경과시키는 것이다. 이런 과정을 약 20분간 반복하면 그날의 풍욕 과제는 끝이 났다. 이곳 요양원 원장은 유난히 풍욕을 강조했다. 그는 풍욕을 하면, 암세포 같은 몸속의 독소들이 온몸에 분포해 있는 땀구멍을 통해 바깥으로 배출된다고 했다.

왼쪽 가슴에 뭉게구름처럼 보인 엑스레이 사진으로부터 시작된 암 재발 소동은, 국토 종단 자전거 길이라는 무모한 도전으로 일단락되었으나 그 후유증은 만만치 않았다. 그 소동은 당장은 암이 재발하지는 않았으나, 언제라도 재발할 수도 있다는 것을 각인시켜준 꼴이 되고 말았다. 이런 생각은 새로운 걱정을 몰고 왔다. 항암을 할 때는 암세포가 잡히지 않으면 어떡하나 불안하고 걱정했는데, 이제는 암 재발에 대한 걱정이 온 신경을 장악하고 있었다. 가진 것이 많은 사람이 가진 것이 없는 사람보다 더 걱정이 많은 것은 잃을 것이 많기 때문이다. 항암을 할 때도 걱정하긴 마찬가지였으나 그때는 몸도 워낙 고단했고, 기껏해야 죽기밖에 더 하겠냐며 될 대로 되라는 식이었는데, 이제 와 생각하면 그때는 잃을 것이 목숨 하나밖에 없었다. 그러나 지금은 사정이 달랐다. 다시 암이 재발한다면 생명을 잃을 가능성이 그때보다 훨씬 큰 것은 물론이고 현재 누리고 있는 행복한 일상들, 이를테면 친구들과의 만남과 함박웃음, 가족들과의 단란한 저녁 식사, 남들처럼 고통 없이 지내는 나날들처럼 아프기 전에는 그 가치를 상상조차 못 했던 행복한 것들을 추가로 잃게 되는 것이다. 어떻게 다시 찾은 것들인데, 어떤 대가를 치르고 다시 얻은 일상인데, 다시는 저 무도한 암세포에게 나의 소중한 것들을 내줄 수는 없었다.

갑자기 지킬 것이 많아진 탓으로 걱정거리도 늘어났다. 혈액암은 혈관을 따라 전신을 타고 흐른다는데 혹시 몸 어디 한 구석에라도 아직 연명하고 있는 암세포가 있지 않을까. 그놈들은 생명력이 동아줄 같아서 만일 한 마리라도 살아있다면 호시탐탐 다시 활개를 칠 기회만 엿보고 있을 게 뻔했다. 어떻게 하면 그들을 완전히 씨를 말릴 수 있을까. 어떻게 하면 마음의 평온을 되찾을 수 있을까. 숨 한 번을 쉬더라도 가능하면 맑은 공기를 마시려 담배 피는 사람이 보이면 멀찌감치 우회했고, 고기 한 점을 먹더라도 기름기나 탄 곳이 없는지 몇 번을 살피고 뒤집어보곤 했다. 아침에 눈을 뜨자마자 시작된 건강 지킴이 노력은 밤에 잠이 들어서야 끝이 났다. 그런 날이 지속되면서 내 주변에 존재하는 모든 것들에 대한 불신의 정도가 점점 높아지더니 급기야 서울의 모든 공기와 모든 음식이 다 믿을 수 없는 지경까지 이르고 말았다. 이렇게 불안에 떨며 사느니 차라리 서울을 떠나자. 그리고 신선한 공기와 유기농 먹거리들만 있는 곳을 찾아보자.

새로운 생활 터전을 찾아 떠난다는 것이 말처럼 그리 간단치가 않았다. 당장 직장도 정리해야 했고 가족들과도 멀어져야 했다. 나 하나 외롭지 않으려고 가족을 데리고 산속으로 들어갈 수는 없었다. 부지런한 아내 덕에 밥 한번 손빨래 한번 제대로 해 본 적이 없는 터라, 집 떠나면 이 모든 것들을 스스로 해결해야 한다는 사실도 여간 신경 쓰이는 것이 아니었다. 그러나 무엇보다 당면한 과제는 무공해 환경을 가진 머물 장소를 찾는 일이었다. 이리저리 알아보고 고민한 끝에 찾아낸 곳이 순천만 습지가 가까운 광양시 백운산 속의 어느 한적한 요양원이었다. 여러 명이 생활하는 요양원을 선택한 표면적 이유는, 혼자만의 본격적인 산속 생활을 위한 중간 훈련단계로 되어 있었으나 실은, 항암 할 때 경험했던 혹독한 외로움의 시간을 조금이라도 늦춰보고자 하는 것이 진짜 이유였다. 직장을 그만두는 것은 중간 훈련단계를 거쳐보고 결정하기로 하고 겨울방학 중 열흘을 요양원에 머무르는 기간으로 정했다.

눈발이 성기게 흩날리던 날 이른 아침 주소 적힌 쪽지 하나 들고 광양을 향해 길을 떠났다. 운전대를 잡은 나도 옆자리에 앉은 아내도 말이 없었다. 돌아보면 아내와 난 결혼 후 오랜 기간 떨어져 있어 본 적이 없다. 기껏해야 직장 일 때문에 삼사일 집을 비운 게 고작이었다. 그런데 이제 막 열흘간의 이별 여행을 시작한 것이다. 지금 시작하는 이별 여행이 열흘로 끝날지, 십 년이 될지, 아니면 영원으로 이어질지 아내도 나도 알 수 없는 일이었다. 모든 것을 운명에 맡긴 채 침묵한 자동차는 남으로 남으로 달리고 있었다.

열 명 남짓한 환자들이 생활하는 요양원은 양지바른 곳에 자리하고 있었다. 나이가 나보다 한 살 위인 원장은 자기도 각종 암에 걸려 수술을 거듭하느라 원래 팔 미터였던 소장의 길이가 지금은 이 미터밖에 남아 있지 않았다는 엄청난 말로 나에게 첫인사를 건넸다. 현재 이곳에 있는 사람들은 모두 암 환자이며 한 사람을 제외한 모든 이가 암이 재발한 사람들이라고 했다. 그리고 재발하지 않은 유일한 한 사람도 폐암 3기 판정받은 상태인데, 더 이상 항암의 효과가 없어 결국 이곳에 와 있다고 했다. 그렇다면 이곳은 현대 의학의 치료가 포기된, 자연이 주는 치료에 마지막으로 매달려 보는 암 치료의 마지막 단계가 머무는 곳 아닌가. 이는 기도만이 존재하는 신의 영역으로 들어가기 직전 단계인 것을 의미하기도 했다. 잠시 뒤 저녁 식탁에 모여든 사람들의 모습에서 원장의 설명이 과장이 아니었음을 실감할 수 있었다.

천 리나 떨어진 낯선 곳에 혼자 남겨 두고 가는 것이 맘에 걸리는지 아내는 좀처럼 버스에 오르지 못하고 있었다. 아내는 떠나기 전 내가 묶을 방이며 운동하는 강당 등을 꼼꼼히 체크 했다. 그뿐만 아니라 원장 아내를 붙들고는 음식이 혹시 짜지 않은지, 재료는 충분히 신선한 것을 쓰는지 등등을 물어보고 확인했다. 요양원에서 광양 고속버스 터미널로 이동하는 자동차 안에서 아내는 말했다. 요양원 사람들 속에 날 두고 가는 것이 맘이 편치 않다고. 살려고 찾아온 것이 아니라 마지막 죽을 곳을 찾아온 사람들처럼 보였다고. 나는 말했다. 그들도 나름대로 희망을 찾아 이곳을 찾아왔듯이 나도 이곳에서 나의 희망과 건강을 찾을 거라고. 그런데 사실은 두려웠다. 새롭게 시작될 낯선 생활이 두려웠고, 저 무표정한 사람들과 어떻게 지내야 할지가 두려웠다. 그러나 이곳까지 함께 와 준 것도 고맙고 피곤할 텐데, 혼자 돌아가는 마음마저 다칠까 염려되어 아내한텐 끝내 어두운 표정 보이지 않았다.

요양원의 규율은 은근히 엄격했다. 아픈 사람들 모아 놓고 무슨 규율이냐 하겠지만, 아침 7시면 어김없이 모든 방에서 풍욕을 위해 창문 여는 소리가 들렸고, 이어서 아침 체조가 시작되는 강당에는 빠지는 사람이 한 사람도 없었다. 학교처럼 생활지도부 선생님이 없는데도 어떻게 이런 완벽한 질서가 가능한지를 이해하는 데는 그리 오래 걸리지 않았다. 더 이상 물러설 데가 없는 곳까지 와 버린 이들에게는 풍욕 한번 체조 한번이 바로 그날의 치료 약이었다.

아침 식사 후 점심 먹을 때까지 자유시간이 주어지는데, 말이 좋아

자유시간이지 모든 이의 머릿속에는 나름의 일정으로 꽉 차 있었다. 어떤 이는 백운산 등산을 떠나고, 근력이 부족해 등산이 어려운 이는 삼림욕을 위해 근처 편백 나무숲으로 갔다. 빈둥거리며 그야말로 자유시간을 만끽하기 위해 요양원에 남아 있는 이는 없었다.

한번은 편백 나무숲을 가는 봉고차에 올라탄 적이 있다. 남자 넷 여자 셋이었는데 차에서 내리자마자 이미 익숙한 듯 남자들은 이쪽 숲에 자리를 잡고, 여자들은 얕은 구릉을 하나 넘어 저쪽 숲에 자리를 잡는 듯했다. 그런데 주위를 몇 번 두리번거리던 사람들이 갑자기 옷을 훌러덩 벗기 시작한 것이 아닌가. 그리곤 머뭇거리는 나에게 빨리 옷 안 벗고 뭐 하고 있냐는 듯이 쳐다보았다. 처음엔 살짝 당황스러웠으나 워낙 깊은 산속이라 훔쳐볼 사람이 있을 리 만무하고, 편백 나무가 뱉어낸다는 피톤치드를 온몸으로 받기 위해 아직 추운 날씬데도 저렇게까지 한다고 생각했다. 그런데 정말 날 놀라게 한 건 다음 순간이었다. 나를 제외한 세 사람 모두의 앙상한 몸에는 기다란 칼자국이 섬찟하게 그어져 있었다. 한 사람은 등에, 다른 두 사람은 배에 큰 수술을 한 흔적이었다. 나중에 안 사실이지만 배에 칼자국이 있는 사람 둘은 모두 암이 재발해 배를 가르는 수술을 두 번씩이나 했다고 했다. 그때 문득 생각 난 게 있었다. 바로 내 배에도 명치 끝에서부터 배꼽 아래까지 수술의 증거가 선명히 남아 있다는 사실이었다. 그들이나 나나 커다란 수술 자국을 갖고 있기는 마찬가진데, 순간이나마 내 몸의 상처는 까맣게 잊고 남의 몸에 난 상처에 그토록 놀란 나 자신이 더 놀라웠다.

수술 자국 얘기가 나왔으니 하나만 더 얘기하고 넘어가야겠다. 하루는 역시 봉고차를 타고 시내에 있는 대중목욕탕을 갔었다. 그때는 요양원에 온 지 꽤 여러 날이 지나 사람들과 상당히 친해진 상태였다. 이곳 사람들은 모두 선했다. 그도 그럴 것이 선하지 않을 이유가 없었다. 그들의 일상을 보면서 한가지 통렬히 느낀 것이 있었다. 삶의 마지막까지 온 상태에서는 누구나 착해질 수밖에 없다는 것을 알게 되었다. 그들은 오염되지 않은 물과 공기를 마시고, 오염되지 않은 식사만 한다. 생사의 갈림길에 선 그들은 물질에 대한 욕심도 없고 명예욕도 있을 리 없다. 따라서 누구에게 거짓말을 할 필요도 없고 누구를 미워할 이유도 없다. 좋은 것만 보고 좋은 말만 하기에도 시간이 부족한 그들이다. 그것도 부족해 그들은 틈틈이 기도까지 한다.

다시 목욕탕 얘기로 돌아가야겠다. 그날 함께 간 남자는 일곱 명쯤으로 기억한다. 다 같이 옷을 벗고 차례로 욕실 안으로 들어갔다. 물론 일곱 명 모두의 몸에는 자신만의 특별한 모양으로 수술 자국이 선명했다. 우리들끼리는 그동안 삼림욕 등을 통해 서로의 수술 자국들을 많이 봐 왔기 때문에 목욕탕 속에서 한 번 더 본다고 해서 전혀 이상 할 것이 없었다.

욕실 한쪽에 욕탕이 있고 그 욕탕 속에는 건장한 남자 셋이서 몸을 물에 담그고 있었다. 욕실 속에는 사람들이 꽤 많았고 욕탕도 넓은데 왜 셋만 탕 속에 있는지 의아했으나 그 궁금증은 이내 풀렸다. 탕 속의 건장한 남자 셋은 모두 몸에 커다란 호랑이 문신을 하고 있었다. 짐작으로는 사람들이 그 호랑이 문신의 위압감 때문에 그들이 진을 치고 있는 탕 속에 쉽게 발을 들이지 못하는 것처럼 보였다. 그러나 우리의 칼자국 동지들은 달랐다. 몸들은 왜소하나 그 호랑이 문신들은 상상도 못 할 힘든 역경을 겪었고 또 겪고 있는 역전의 용사들 아닌가. 그 문신이 아무리 무서운들 수술대 위에 올려진 그들의 눈에 쏟아지던 차디찬 수술 등 불빛에 비할까. 우리는 특유의 무표정한 얼굴로 조금의 망설임도 없이 차례로 탕 속으로 들어와서 자리를 잡았다. 그런데 누구도 예상치 못한 일이 일어났다. 미리 와 떠들고 있던 호랑이 문신 세 명이 어느 순간 조용해지더니 잠시 뒤 그들 모두 슬그머니 자리를 뜨는 게 아닌가. 엄청난 칼자국들이 차례로 물에 잠기는 모습을 보고 그들은 무슨 생각을 했을지 궁금했다. 세상에는 호랑이조차 무서워하지 않는 사람들도 살고 있음을 실감하지 않았을까. 그리고 떠나는 그들을 말없이 지켜보던 상처투성이인 우리의 동지들은 속으로 웃었을까 울었을까.

주중에는 나름 빡빡한 일정을 소화하지만, 주말에는 풍욕과 아침 체조를 제외하면 자유시간이 주어졌다. 이곳 생활이 자칫 바깥세상과 단절되기 쉬운 생활이 될 수 있음을 걱정한 원장님은 이 자유시간을 이용해 나름 바깥세상 구경을 시켜주셨다. 오늘은 순천만 습지를 방문한다고 했다.

난 지금까지 순천만은 고사하고 순천조차 방문한 적이 없다. 순천만이 어떤 곳이기에 이렇게나 힘든 사람들을 데리고 차로 한 시간이나 되는 거리를 간다는 것일까. 차에서 내리자 산속과 달리 시야가 확 트인 것이 일단 맘에 들었다. 나무로 만든 완만한 아치형 다리 하나를 건너자 갈대밭이 넓게 펼쳐져 있고 그 갈대밭에 난 몇 갈래 사잇길로 많은 사람이 오가는 것이 눈에 들어왔다. 난 속으로 투덜거렸다. 갈대밭과 사람 구경 외에 뭐 볼 게 있다고 우리를 이곳까지 끌고 왔는지 이해되지 않았다. 한 가지 신기한 것은 올챙이처럼 생긴 처음 보는 생명체가 갯벌 이곳저곳을 뛰어다니고 있었는데 사람들은 그것을 짱뚱어라고 했다. 우리가 오늘 가야 할 목적지가 저 산 위에 있는 전망대라며 원장님은 맞은 편에 있는 야트막한 산 하나를 가리켰다. 나무들이 있어 산으로 부르는 것인지, 그냥 언덕이라고 하는 편이 더 어울릴 만큼 높지 않은 곳이었다. 그 정도인데도 연세 드신 할머니 두 분은 포기하고, 그나마 기력이 남은 분들만 서로 부축해가며 언덕을 오르기 시작했다. 오르는 동안 내려오는 사람들의 표정을 보았는데 한결같이 밝고 만족스러운 모습이었다. 무엇을 보았길래 저렇게나 흐뭇해할까. 서로 밀고 당기며 언덕을 오르는 발길들이 조금씩 바빠졌다.

언덕 전망대에 오르자 말로만 듣던 순천만 습지가 한눈에 들어왔다. 세상에! 무슨 말을 인용해야 이 웅장하면서도 섬세한 아름다움을 표현할 수 있을까. 눈의 초점을 어디에 두어야 할지 모를 정도로 어마어마한 크기의 드넓은 평야와 갯벌, 그 사이사이를 흐르는 해수천의 곡선미, 신이 빚어 놓은 듯 정교하게 모양을 낸 거대한 갈대 군락들. 게다가 바다로 이어지는 남쪽은 너무나 아스라해 그 끝은 어떤 모습인지 보이지조차 않았다. 얼마나 큰 렌즈가 있어야 이 거대한 광경을 한 장의 사진에 담아낼 수 있을까. 얼마나 큰 도화지가 있어야 저 아래 보이는 신기한 것들을 빠짐없이 화폭에 그려낼 수 있을까. 이 거대한 자연과 당당히 마주하고 있는 나 자신이 갑자기 크게 느껴졌다. 그리고 뭔지 모르게 뱃속 저 밑에서부터 자신감과 용기가 스멀스멀 생겨나는 듯했다. 이심전심일까, 이곳까지 서로 부축해가며 힘겹게 올라온 우리 동지들의 얼굴에도 모처럼 만에 걱정과 근심이 사라졌다.

이곳 요양원에 한번 발을 들어놓은 사람들은 최소 몇 달은 기본이었다. 이곳에 머물던 사람 중에 어떤 이는 더 나은 곳을 찾아 떠나고, 어떤 이는 다시 병원으로 돌아가고, 또 어떤 이는 마지막을 준비하러 집으로 돌아갔다고 했다. 그러나 완치가 되어 가족 품으로 돌아갔다는 얘기는 끝내 들을 수 없었다.

암이 재발하지 않았음에도 이곳까지 찾아온 나를 그들은 처음부터 반겨주었고 부러워했다. 나 또한 동병상련의 아픔을 겪은 시간이 있어 그들을 이해할 수 있었고, 무표정 뒤에 어른거리는 여리디여린 마음들을 금방 볼 수 있어서 쉽게 다가갈 수 있었다.

어느덧 약속된 열흘이 지나 이곳을 떠나는 날이 왔다. 아침 체조 시간에 원장님은 원생들이 모두 모인 자리에서 오늘이 내가 떠나는 날임을 알렸다. 그 말을 듣고도 사람들은 말이 없었다. 내가 머무는 기간이 다했음을 미리 알고 있었기 때문이기도 하지만, 그분들인들 무슨 말을 할 수 있었을까. 더 머물라고 하기에는 삶의 끝자락이 힘겹게 매달려 있는 이곳 현실이 한스럽고, 잘 가라고 하기에는 그동안 쌓은 정이 가슴을 쓰리게 하지 않았을까. 이런 말도 저런 말도 들을 수 없는 기막힌 이별에 또 한 번 가슴이 무너져내렸다.

이곳 좌장 격인 할아버지는 내 손을 꼭 쥐고는 말씀하셨다. 건강 잘 챙겨 다시는 이곳에 오지 말라고. 내년 여름방학에는 오지 말라는 말씀 어기고, 복숭아 한 상자 들고 할아버지를 뵈러 올 것이다. 그때까지 살아 계셔야 할 텐데. 길모퉁이를 돌 때까지 모두 모여서 손을 흔드는 우리 동지들의 고운 모습이 사이드미러에서 사라지지 않았다.

도전과 열정

새로 부임 받은 학교 구조를 알아보기 위해 교정 이곳저곳을 둘러보고 있었다. 그러던 중 저쪽 식당 건물 담벼락 밑에서 학생 두 명이 담배 피는 모습이 눈에 들어왔다. 난 그들에게 "너희들 거기서 뭐 하고 있어? 이리 와 봐"라고 했더니, 그 둘은 날 한 번 힐끗 쳐다보고는 운동장 쪽으로 냅다 뛰는 것이었다. 도망치는 저들을 그냥 바라보기만 할지, 아니면 쫓아가서 붙들어야 할지를 그 찰나와 같은 시간에 판단해야 했다. 난 그들을 쫓아가서 붙들기로 마음을 먹었다. 그런데 하필이면 그날은 비가 와서 우산을 쓰고 있었으며 게다가 정장 차림에 신발은 슬리퍼를 신고 있었다. 난 한 치의 망설임도 없이 우산부터 내 던졌다. 그리고 슬리퍼를 벗고 넥타이 휘날리며 양말만 신은 채로 질척거리는 운동장으로 내달리며 소리쳤다.

"야! 너희들 거기 서지 못 해?"

초등학교 때 육상선수 했던 실력이 유감없이 발휘되었고 그들 중 한 명이 운동장이 거의 끝나가는 지점에서 목덜미가 내 손에 잡혔다. 그런데 하필이면 그 시간이 쉬는 시간이어서 이 모든 과정이 교실 창문들을 통해 전체 학생에게 생중계가 되었다. 다음날 학교에는 새로운 소문 하나가 돌기 시작했다. 새로 부임하신 생활지도부장 선생님의 포스가 장난이 아니라고. 그리고 달리기도 엄청 빠르다고.

교사들의 정기 전보 시절이 돌아왔다. 원래는 5년마다 학교를 옮겨야 하지만 난 암 치료 때문에 1년 유임을 한 상태였다. 더 이상의 유임 신청은 학교에 부담을 줄 것 같아, 학교를 옮기기로 하고 구름산에 가까운 학교로 배정받았다. 그 학교를 선택한 이유는 당연히 일과 후 구름산 등산을 하기 위함이었다.

　새로 배정받은 학교에서는 누구도 맡기 꺼리는 생활지도부장 자리를 나에게 제안했다. 난 항암 끝난 지 채 1년도 되지 않았다는 사실을 알리고 정중히 거절했다. 그러나 이후 학교 측과 몇 번의 밀고 당기는 논의 끝에 결국은 그 자리를 내가 맡는 것으로 결정했다.

　첫 출근날이었다. 첫 수업을 마치고 2층에 있는 생활지도부 실 문을 열려다 말고 복도 양 끝을 돌아보았다. 그런데 이상하게도 그 두 곳이 희뿌연 기체로 가득 차 있는 게 아닌가. 각 층의 복도 양 끝에는 화장실이 있으니까, 처음에는 그 희뿌연 기체가 화장실을 소독하기 위해 소독차가 와서 소독약을 뿌린 것으로 생각했다. 그러나 가까이 다가간 나는 충격에 빠졌다. 그것은 놀랍게도 담배 연기였다. 화장실에서 피운 담배 연기가 화장실을 가득 채운 것도 모자라 바로 앞 복도까지 퍼져 나온 것이었다. 난 다른 층 화장실도 뛰어 올라가 봤으나 사정은 같았다. 이후 전해 들은 바에 의하면, 흡연하는 학생이 워낙 많아 학교에서도 흡연 단속을 거의 포기한 상태하고 했다.

　난 담배를 끊은 사람이 아니라 담배 연기가 싫어 처음부터 담배를 배운 적이 없었다. 게다가 암에 걸린 이후 건강을 위해 담배 연기를 더욱 멀리하고 있었다. 어쩌다 학교가 이 지경까지 되었을까. 눈앞이 캄캄했다. 나도 다른 이들처럼 흡연이 난무한 이 상황을 그저 모른 체 하면 그만이었다. 그런데 문제는 나에게 있어 담배 연기는 그냥 건강에 해로운 정도가 아니라 치명적이라는 데 있었다. 어쩌면 그것 때문에 암이 재발할지도 모를 일이었다. 이 일을 어찌해야 하나. 구름산이 가까워 건강을 지키기 위해 찾아온 학교가 건강에 해로운 담배 연기로 가득 차 있다니 생각할수록 어이가 없고 헛웃음만 나왔다. 그러나 이미 엎질러진 물이었다. 이 학교로의 발령을 취소할 수도 없고, 그렇다고 저렇게 자욱한 담배 연기와 함께 생활할 수도 없었다. 마스크 두 겹으로 쓰고 그나마 공기가 덜 오염된 곳을 찾아가며 하루하루 살아야 하나. 하루 이틀도 아니고 다음 정기 전보가 있기까지 무려 오 년 동안이나 그렇게 지질한 모습으로 살기는 싫었다. 꼬박 일주일을 고민한 끝에 담배 연기와 정면으로 맞서기로 결심했다. 어쨌든 현재 내 직함이 생활지도부장 아닌가. 그 역할에 충실하고 나와 뜻을 같이하는 선생님이 몇 분만 있다면 한 번 도전해 볼 만하다는 생각이 들었다. 4기 암세포에 도전장을 내밀고 악착같이 달려들 때를 생각하면 이건 충분히 해 볼 만한 싸움이었다.

생각이 정리되자 마음의 안정이 찾아왔다. 흡연 측정기를 새로 구입하고 일단 금연 교육에 힘을 쏟았다. 그러나 한번 니코틴에 중독된 학생들의 마음을 돌리기엔 금연 교육만으로는 어림도 없었다. 어쩔 수 없이 흡연에 관한 교칙을 강화하고 이런저런 방법들을 동원해서 흡연하는 학생들을 직접 찾아 나섰다. 이런 나의 노력을 지켜보던 동료 교사들은 처음에는 '며칠 저러다 말겠지. 우리도 한 번씩은 다 시도해봤잖아.' 하며 시큰둥한 모습을 보였다. 그러나 곧 끝날 것 같던 나의 노력하는 모습이 며칠에 몇 번의 며칠을 더해도 한결같이 이어지자 지켜만 보던 동료 교사들도 하나둘 팔을 걷어붙이고 나서기 시작했다. 화장실 변기에 들어 있는 담배꽁초를 치우기 위해 그물망 뜰채를 사용해야 할 만큼 담배 피는 학생들이 많았지만, 전 교사들이 눈에 불을 켠다면 승산이 있는 싸움이었다.

생활지도부 교무실은 흡연하다 잡혀 온 학생들로 문전성시를 이루었다. 흡연 학생들은 적발 횟수에 따라 반성문을 쓰기도 하고, 부모님이 학교로 불려 나오기도 하고, 심하면 흡연학교도 보내지고, 그러고도 담배를 끊지 못하면 교칙에 따라 처벌되기도 했다.

교사들이 모두 나서 흡연을 단속하자 학생들도 머리를 쓰기 시작했다. 쉬는 시간이나 점심시간에 흡연하는 현장을 들키지 않기 위해 학생들은 화장실 앞에 망보는 학생을 따로 세웠다. 그러면 교사들은 그 망을 무력화시키기 위해 수업 시간에 미리 화장실 빈칸에 들어가 마침 종이 울릴 때까지 잠복에 들어갔다. 그렇게 담배 연기와 전쟁은 생활지도부장인 나의 지휘 아래 한 치의 물러섬도 없이 몇 달간이나 지속되었다. 다른 이는 몰라도 언제 암이 재발할지도 모르는 나에게는 물러설 수도, 물러설 곳도 없었다. 처음에는 나에게 반감을 보이던 흡연 학생들도 진심 어린 노력에 하나둘 항복을 선언하며 나에게 안기기 시작했다.

흡연과 관련해서 몇 가지만 더 얘기하고 가야겠다. 학교에는 교사용 화장실과 학생용 화장실이 있다. 그런데 학생용 화장실을 이용해야 할 학생들이 버젓이 담배 연기가 없는 교사용을 드나들고 있었다. 흡연 학생이 많지만 그래도 비흡연 학생들이 훨씬 많았다. 담배 연기가 싫은 학생들이 교사용 화장실을 사용하는 것을 선생님들은 그저 묵인할 수밖에 없었다. 어찌 되었든 학교에서 흡연을 제대로 단속하지 못하고 그 지경까지 오게 한 첫 번째 책임은 교사들에게 있기 때문이었다. 학생용 화장실에서 담배 연기 추방 운동이 본격화되자 비흡연 학생들도 적극적으로 나서기 시작했다. 어쩔 수 없이 교사용 화장실을 사용하는 비흡연 학생들도 불편하기가 교사들 못지 않았을 것이다. 고학년 학생들이 담배 피는 저학년 학생들을 직접 생활지도부실로 데리고 오는가 하면, 저학년 학생들은 담배 피는 고학년 학생들을 몰래 알려주곤 했다.

교칙에 의한 처벌만이 능사가 아니기 때문에 흡연 적발 횟수가 누적된 학생들은 처벌에 앞서 마지막 기회를 주었는데, 그중 하나가 휴일에 생활지도부 선생님들과 함께 구름산 등산을 다녀오는 것이었다. 학교에서는 어쩔 수 없이 무서운 생활지도부장이지만, 같이 땀 흘리며 산에 오르면 그들과 인간적으로 가까워질 수 있고 그들의 애환도 들을 수 있었다. 등산 도중 휴식 시간에 같이 땀 닦으며, 혹은 학교에서 미리 준비한 김밥으로 점심을 먹으며 물어봤다. 건강에 해로운 담배를 왜 배우기 시작했냐고. 부모님이 학교까지 불려오고, 금연 학교에서 흡연이 청소년 건강에 얼마나 유해한지 교육받았으면서 왜 담배를 끊지 못하냐고. 그러면 되돌아오는 대답은 대부분 같았다. 호기심에서 시작했고, 어느 순간부터는 끊기가 어려워져 버렸다고 대답했다. 그리고는 죄송하다고 고개를 숙였다. 그런 안타까운 순수함을 볼 때마다 조용히 그들의 손을 잡아 주었다. 그리고 새끼손가락 걸며 약속했다. 다시는 담배에 손대지 않겠다고.

한번은 수업을 마치고 교무실 내 자리로 돌아왔는데 편지 하나가 놓여 있었다. 담배를 끊으려고 나름 노력했으나 결국 실패했고, 선생님들이나 담배 피지 않는 친구들에게 더 이상 피해주고 싶지 않아 학교를 그만두고 검정고시 준비를 하겠다는 내용이었다. 그리고 그동안 생활지도부장님을 힘들게 해서 죄송하다는 말로 마지막 인사를 하고 있었다. 그날도 일과 후에 언제나처럼 구름산 등산을 갔다. 등산 내내 그 학생의 얼굴이 머리에서 지워지지 않았다. 학교를 그만둔다는 것이 어디 쉬운 일인가. 고작 흡연 때문에 그런 결정을 한 것에 화가 치밀다가도, 어린 나이에 그동안 얼마나 마음고생이 심했을까 생각하니 가슴이 미어졌다.

교사로서의 직분을 다한다는 명분 아래, 행여 내 건강을 위해 필요 이상의 교육활동을 한 건 아닌가 싶기도 했다. 처음 이 학교에 발을 들여놓던 날, 복도 끝 희뿌연 담배 연기 뭉치를 처음 보았을 때는 도대체 여태껏 흡연 지도를 어떻게 했길래 이 지경까지 되었나 하고 기존의 교사들에 대해 원망도 했었다. 그러나 그들은 혹시 이런 경우까지 예측하고 흡연 지도를 유연하게 했던 것은 아닐까. 무엇이 옳고 어떻게 해야 더 교육적일 수 있는지 이후 며칠 동안은 가치관의 혼란을 겪어야만 했다.

세상만사 음지가 있으면 양지도 있고, 내리막이 있으면 오르막도 있는 법이다. 한번 시작된 흡연 퇴치 운동은 탄력에 탄력을 더해 갔다. 여기저기서 긍정과 응원의 목소리가 쏟아졌다. 전에는 학생들이 학교에서 화장실 쓰는 게 불편하다는 학부모들의 민원 전화도 많이 걸려 왔었다. 그러나 학생들이 학생용 화장실로 다시 돌아오기 시작하면서 그런 항의성 전화도 사라졌다. 2학기 접어들어서는 흡연으로 같이 등산했던 학생들이 자신 있게 나한테 다가와 인사하기 시작했다. 담배를 끊었음을, 그래서 입에서 담배 냄새가 사라졌음을 그렇게 증명해 보였다. 겨울방학을 며칠 앞둔 어느 날, 난 마이크를 잡고 전교생과 전체 교직원들을 향해 흡연이 학교에서 완전히 사라졌음을 공식적으로 알렸다. 그리고 다시는 흡연이 학교에 발붙이지 못하도록 노력하자고 호소했다.

암 발생 원인으로 스트레스가 첫 번째로 꼽힌다는데, 돌아보면 그 시절 하루도 스트레스를 받지 않는 날이 없었다. 그리고 그 스트레스를 해소하기 위해서라도 눈이 오나 비가 오나 하루도 빠짐없이 일과 후에 구름산으로 등산을 갔다. 3개월마다 하는 건강검진 때는 행여 뭉게구름 같은 것이 엑스레이 사진에 다시 나타나지 않을까 조마조마했다. 그러나 우려와는 달리 당당히 건강도 챙겼고 담배 연기 없는 학교도 만들었다. 혹시 그 비결이 구름산을 오르면서 구름 뒤에 숨은 밝은 햇살을 찾으려는 쉼 없는 갈망이 아니었을까.

첫 바깥나들이

걸려 오는 전화가 부쩍 늘었다.

"많이 좋아졌다며. 계속 건강관리 잘해."

"많이 걱정했는데 정말 다행이다."

"완치되었다며. 모두 너 걱정 많이 했어. 조만간에 한번 보자."

물론 완치가 된 건 아니지만 완치라는 말을 듣는 것만으로도 응원하는 마음이 전해와 고마웠다. 안부 전화가 대부분이었으나 모임에 다시 나오라는 전화도 있었다. 사정이 좋아졌지만, 이런저런 이유로 한번 발길을 끊은 곳에 다시 모습을 보이는 것이 쉽지 않았다.

4기 암에 걸렸다는 소문이 퍼지자 주위 사람들이 약속이나 한 듯 내게로 향하는 전화를 일제히 끊었다. 이해는 갔다. 그들인들 그 소문을 듣고 내게 무슨 말을 할 수 있었겠나. 건강 잘 챙기라는 말조차 사치스럽고 조심스럽지 않았을까. 항암으로 사투를 벌일 때는 전화가 없었다는 사실조차 잊고 있었다. 나 또한 그들과 만나거나 통화하는 것이 그리 탐탁지 않았다. 함께 어울려 웃고 떠들 때는 믿음직한 직장 동료이고 선후배 사이여도, 돌아서면 어쩔 수 없이 경쟁자가 되어야 하는 것이 자본주의 사회에서의 숙명임을 알았기 때문이다. 그들은 건강한 심신으로 앞을 향해 뚜벅뚜벅 걸어가는데, 앞을 바라보기는커녕 당장 목숨 부지하기도 바쁜 나의 처지를 그들이 기억하는 것이 싫었다.

직장에서 또 친구들 모임에서 거침없던 내가 4기 암에 걸렸다는 소식을 접했을 때 그들은 무슨 생각을 했을까. 나를 다시 볼 수 있다고 생각했을까. 아니면 그 반대였을까. 나중에 들은 얘기로는 친구 대부분은 다시는 내 얼굴을 볼 수 없을 것으로 생각했다고 했다.

항암 2차 때의 일이다. 한 번은 친한 친구 중 두 명이 만나자고 연락이 왔다. 난 망가진 내 모습에 놀라는 그들의 표정을 보는 게 싫고, 또 뻔한 위로의 말을 듣기도 싫어서 거절했으나 계속되는 제안에 모임 자리에 나간 적이 있다. 그런데 내 예상과는 달리, 빵모자에 병색 짙은 내 모습을 보고도 그들은 전혀 놀라는 표정이 아니었다. 게다가 살다 보면 아플 때도 있다며 마치 독감이나 식중독쯤 정도로 여기는 것이었다. 그 말이 나에게 용기를 주려고 의도적으로 챙긴 말인 것을 알면서도 돌아오는 내내 '그래 살다 보면 아플 수도 있지 뭐'를 수도 없이 되뇌었다.

완치 판정을 받은 건 아니지만 내가 다시 살아났다는 소문은 암에 걸렸다는 소문만큼이나 빨리 퍼졌다. 다시 모임에 나오라는 얘기가 끊이지 않았으나 선뜻 나설 수가 없었다. 망설여지는 구석이 한두 곳이 아니었다. 우선 변해버린 외모가 문제였다. 항암이 끝나고 머리카락이 다시 나기 시작할 때만 하더라도 그 기쁨은 말할 수 없었다. 그런데 몇 달이 흘러도 머리카락이 도통 굵어지지 않았다. 빗이 잘 빗어지지 않을 정도로 튼튼하고 시커멓던 이전 모습은 어디로 가고 머릿속이 훤히 다 들여다보이는, 그저 민둥산 형상을 겨우 면할 정도의 거울 속의 머리를 들여다보고 있으면 한숨이 절로 나왔다. 그리고 나를 부르고 있는 곳들이 대부분 술자리라는 것이 또 하나의 망설임이었다.

언제부턴가 전화를 받으면 설명하기에 바빴다. 그들은 오랫동안 참아왔던, 그러나 아픈 사람을 붙들고 차마 물어보지 못했던 궁금증을 한꺼번에 쏟아내고 있었다. 그런데 신기한 것은, 질문들이 표현 방식만 다를 뿐 내용과 순서까지 거의 일치한다는 것이다. 그들은 제일 먼저 어떤 증상으로 암이란 걸 알게 되었는지를 묻고, 다음은 수술

여부와 항암 여부를 물었다. 개복 수술과 항암을 여섯 번 했다는 말을 들으면 그들은 일단 질문을 중단하고 한 박자 쉬어가는 자세를 취했다. 그것은 아마 그 모진 시간들을 견딘 나에 대한 최소한의 예 갖춤으로 느껴졌다. 그렇게 한숨 돌린 그들은 완치 판정은 언제 받을 수 있는지를 물어보는 것으로 마지막 질문을 마쳤다.

이제 그들을 직접 만나게 되면 또다시 같은 질문을 받게 될 것이다. 게다가 이번에는 나에게 집중되는 시선까지 감당해야 한다. 이미 전화로 여러 차례 대답했던 3단계 질문을 또 받아야 한다는 사실이 모임 참석을 망설이게 하는 마지막 이유였다.

마지막 항암을 한 지 어느덧 2년이란 시간이 지났다. 지금까지는 암 재발 여부를 확인하기 위해 석 달 간격으로 병원을 찾았으나, 이제부터는 6개월에 한 번씩 병원을 찾으라는 지시를 받았다. 사람 마음이 참 이기적이고 간사한 것 같다. 항암 때 3주에 한 번씩 대장내시경을 하다가 항암이 끝나고 석 달에 한 번씩 병원에 오라는 얘기를 들었을 때만 해도 정말 살 것 같았다. 왜냐하면 힘들기로 따져서 다른 검사와는 비교조차 안 되는 대장내시경을 석 달 주기로 한다는 뜻이었기 때문이다. 3주마다 할 때는 워낙 자주 해서 그런지, 새벽에 일어나 들통으로 물 마시며 장을 비우고, 민망한 자세로 최소 30분 이상씩이나 되는 검사 시간을 그저 불주사 한 번 맞는 정도로 여기며 묵묵히 참고 견뎠다. 그러다가 그 주기가 석 달로 확 늘어난다는 말을 들었을 때는 정말 큰 족쇄에서 해방이라도 되는 기분이 들었다. 물론 그 석 달이 다 채워질 즈음이면 4리터짜리 들통이 다시 눈앞에 놓였지만 3주마다 놓였을 때와 비교하면 무척 다행스럽고 고마운 일이었다. 그런데 그 석 달이 한 번 지나가고 두 번 지나가면서 다행으로 여겨야 할 대장내시경 검사가 점점 귀찮고 부담으로 느껴지기 시작했다. 3주마다 할 때는 귀찮기는커녕, 뱃속을 직접 볼수 있다는 사실에 은근히 기다려지기까지 했던 대장내시경이 이렇게 부담으로 다가올 줄은 몰랐다. 석 달마다 한 번씩 할 때도 상당한 부담으로 느꼈던 대장내시경 검사를 이제는 여섯 달에 한 번씩 한다고 했다. 그 여섯 달이 채워졌을 때, 그래서 내 앞에 놓일 커다란 들통을 다시 보게 될 때 느낄 감정은, 부담감의 차원을 넘어 이미 스트레스 영역으로 들어와 있지 않을까 염려되었다. 한편으로 생각하면 대장내시경 검사를 싫어하는 것을 나쁘게만 볼 필요는 없을 것 같다. 일반 사람들도 그 검사를 무척이나 부담스러워하지 않나. 그렇게 보면 대장내시경 검사를 부담스러워할수록 정상인 쪽으로 한 발짝씩 더 다가서고 있다고 생각할 수도 있겠다.

석 달에 한 번씩 혹은 여섯 달에 한 번씩 병원을 찾을 때는 항상 안양천 옆 서부간선도로를 이용했다. 그런데 공교롭게도 안양 천변 개나리꽃이 만발할 때면 꼭 그 길을 지나갔다. 개나리꽃을 볼 때마다 생각했다. 내년에도 저 꽃을 볼 수 있을까. 꽃말이 희망인 개나리꽃은 강한 생명력을 가진 것으로도 잘 알려져 있다. '희망'과 '생명력'! 어쩜 저 꽃은 내게 가장 절실한 꽃말들만 갖고 있을까. 바로 옆을 달리는 자동차 소음에도 절대 굴하지 않고 피어나, 나의 병원 길을 응원해주던 샛노란 개나리꽃을 보면서 난 다짐하곤 했다. 내년에도 또 그다음 해에도 기필코 저 개나리꽃을 보고야 말겠노라고.

계절이 바뀌고 해가 몇 번 바뀌어도 친구들의 부름에 응하지 않았다. 앞에서 이미 언급했듯이 성긴 머리모양을 드러내 놓기 싫었고, 술자리와 과도하게 내게 쏟아지는 관심도 싫었다. 그러나 그런 외형적이고 현실적인 이유 외에도 나의 발목을 잡는 결정적인 이유가 있었으니 그것은 바로 암세포를 향한 나의 다짐을 지키고야 말겠다는 그야말로 황당하기 그지없는 이유 때문이었다.

암 재발 소동은 다행히 아닌 것으로 끝이 났지만, 그 후유증은 만만찮았다. 배가 조금 아프거나 감기 기운만 있어도 이게 암 재발과 무슨 연관이 있지 않을까 생각되었고, 길을 걷다가도 문득문득 혹시 암이 재발하면 어쩌나 걱정되어 걸음을 멈추곤 했다. 그러나 가장 힘든 건 암이 재발하는 꿈을 꾸는 것이었다. 암이 재발해 다시 항암을 해야 한다는 악몽을 꾸고 나면 이부자리가 땀으로 흥건하고 몸무게까지 훅 줄어있기 일쑤였다. 그럴 때마다 나는 생각했다. 꿈에까지 나온다는 것은 아직 완전히 죽지 않은 암세포 몇 마리가 분명 내 몸 어딘가에 숨어 있다고 생각했다. 그리고 그들에게 약속했다. 내 기필코 너희들을 모두 소탕하고 말겠다고. 그래서 편한 잠자리는 물론, 걱정 없는 일상까지 다시 찾겠다고. 그때까지 외부 모임에 참석하는 것을 일절 삼가고, 숨 쉬고 먹는 것이며 등산을 비롯한 운동까지 마치 수도승처럼 규칙적이고 조심하겠노라고 다짐했다.

오늘은 불금이어서 늦는다는 딸아이 문자를 물끄러미 보고 있으면, 친구들과 어울려 2차는 기본이고 가끔은 3차까지 자리를 옮겨가며 웃고 떠들던 과거 날들이 생각나고, 세상 시름 다 잊은 듯 편하게 웃던 정겨운 얼굴들이 떠올라 마음 둘 곳 찾지 못하고 한참 동안씩이나 멍하니 앉아 있곤 했다. 그렇게 한 번씩 과거 시간에 마음을 뺏기고 나면 암세포에 했던 다짐이 여간 흔들리는 게 아니었다. 그 다짐을 딱 한 번 어기고 친구들 모임에 참석한다고 상상해 보았다. 암세포와 내가 나란히 물속에 들어가 숨 참기 시합을 벌이고 있다. 내가 극한 상황까지 간다는 것은 상대도 마찬가지일 것이다. 이제 몇 초만 더 버티면 상대가 먼저 항복하고 머리를 물 밖으로 내밀 텐데, 어찌나 힘든지 내가 먼저 머리를 내밀고 싶다. 있을 수 없는 일이다. 내가 친구들 모임에 나가고 싶은 만큼 암세포도 다시 활동을 재개하고 싶을 것이다. 참아야 한다. 암세포가 두 손 들고 나올 때까지 참고 또 참아야 한다. 이런 다짐이 어느 한순간 무너진다면 암세포와 치열한 생존 경쟁과 인내 싸움에서 패배를 의미하고 이는 곧 암의 재발이라는 무시무시한 결과로 이어진다고 여겼다.

계절이 바뀌어 다시 봄이 찾아왔다. 그 사이 6개월 병원 검사 주기가 다시 늘어나 1년으로 바뀌어 있었다. 지난달엔 병원에 가기 위해 안양천 옆 서부간선도로를 달렸다. 천변에는 이맘때면 내가 지나갈 것을 알고 있기라도 한 듯 샛노란 개나리가 줄지어 피어 있었다. 검사 결과는 깨끗했다. 진작부터 궁금했으나 혹시 부정이라도 탈까 두려워 지금까지 숨겨두었던 질문을 했다.

"완치 판정은 언제쯤 받을 수 있나요?"

컴퓨터 화면에 나타난 숫자들을 이리저리 살펴보던 의사 선생님은 말씀하셨다.

"거의 정상으로 돌아오긴 했습니다. 이대로라면 1년 뒤에 오실 때는 병원에 그만 오라는 말을 들을 수 있을 것 같습니다."

1년 뒤라는 단서가 붙긴 했으나 처음으로 병원에 그만 오라는 말을 들었다. 갑자기 뱃속 저 밑에서부터 뭔가 커다란 덩어리가 북받쳐 올라왔다. 그것이 기쁨의 뭉치인지 아니면 쌓였던 설움이 폭발하는 것인지 확실하진 않지만, 눈시울이 뜨거워지고 목이 메어 감사하다는 말조차 할 수가 없었다. 혹시 내가 잘못 들었나 싶어 아내에게 확인했더니 아내도 분명히 들었다고 했다.

병원에 그만 와도 된다는 말의 위력은 상상을 초월했다. 그 말은 1년 후면 완치 판정을 받을 수 있다는 의미이기도 했다. 어쩌면 이미 완치가 되었을지도 모른다. 여태까지 간헐적으로 남아 있던 암 재발 악몽도 자취를 감추었다. 이는 길고 지루했던 암세포와 싸움에서 결국 내가 최종 승리자가 되었으며, 혹시 남아 있을지도 모를 비루한 암세포조차 모조리 몸 밖으로 내모는 데 성공했음을 의미하기도 했다. 암세포의 공포에서 완전히 해방되기 전까진 친구들 모임에 참석하지 않겠다던 다짐이 지켜졌음이 증명되자 본격적으로 친구들이 보고 싶어지기 시작했다. 봄볕이 유난히 따사롭던 어느 토요일 오후, 5년 동안이나 참석하지 못했던, 그래서 너무나 보고 싶은 얼굴들을 만나기 위해, 1박 2일 일정으로 열리는 고등학교 동창회에 참석하기 위해 자동차에 몸을 실었다.

모임에 참석한 동창 녀석들을 둘러보니 어림잡아 마흔 명은 되어 보였다. 내 기억에 고등학교 동창회에 이렇게 많이 모인 적이 없었다. 십 년쯤 전에 졸업 25주년을 기념하는 동창회라며 꼭 참석해야 한다고 난리법석을 피울 때도 스무 명 남짓이었다. 오랜만에 보는 친구들의 근황은 좋아 보였다. 사실 암에 걸리기 전까지 이 모임의 회장은 나였다. 처음 암 판정받았을 때 부회장을 맡고 있던 친구에게 전화했었다. 암에 걸렸다는 말은 끝내 못하고 그냥 몸이 너무 안 좋아 당분간 모임에 참석이 어렵다고. 그렇게 전화한 때가 엊그제 같은데 5년이란 세월이 흘러버렸다. 반갑게 맞아주는 친구들의 첫인사는 약속이나 한 듯, '요즘 건강은 어때?'였고, 그러면 나 또한 '많이 좋아졌어.'라고 똑같은 대답을 되풀이했다. 5년 만에 처음 보는 나의 근황이 얼마나 궁금했을까. 그러나 친구들은 천신만고 끝에 겨우 아문 상처를 다시 헤집어 놓을까 염려되어 끝내 다음 질문은 하지 않았다.

동창회 모임 장소인 외딴 시골 펜션은 마치 고향 집 같았다. 주변은 온통 논과 밭 과수원들이 자리 잡고 있고, 앞마당 건너 저쪽 산 밑에는 언제라도 발을 담글 수 있는 개천이 흐르고 있었다. 말이 좋아 펜션이지 오랫동안 비어 있던 농가를 그 마을 이장이 몇 군데 못질해서 우리 같은 사람에게 전기세와 수도세 정도만 받고 빌려주는 곳이었다. 나중에 들은 얘기에 의하면, 내가 지나칠 정도로 건강에 신경을 쓰고 있다는 소문을 들은 친구들이 공기 좋은 곳을 찾아 시골로 장소를 찾다 보니 이곳까지 오게 되었다고 했다.

사회를 맡은 동창 녀석이 모임을 시작하기 위해 마당 한가운데 놓인 들마루 주위로 친구들을 불러 모았다. 목소리를 가다듬기 위해 몇 번 헛기침을 한 그는 높임말까지 써가며 전혀 예상치 못한 말로 모임의 시작을 알렸다.

"여러분들이 잘 모를 수 있어서 말씀드리는데, 우리 동창 졸업생 중에서 이미 세상을 떠난 친구가 다섯이나 있습니다. 먼저 그 친구들의 명복을 비는 묵념을 하겠습니다."

묵념이 끝난 후 다음 말이 이어졌다.

"오늘 특별히 많은 친구들이 모임에 참석해주셔서 감사합니다. 오랜만에 만난 친구들도 있고 오늘 처음 나온 친구들도 있으니까 각자 자기 소개를 하는 시간을 갖겠습니다."

드디어 내 소개 순서가 되었다.

"여기 모인 친구 대부분이 이미 소문으로 들어서 알고 있듯이 나는 4기 림프암을 극복하고 5년 만에 다시 이 모임에 참석했습니다. 조금 전에 우리 모두 먼저 세상을 떠난 동기들의 명복을 비는 묵념을 올렸는데, 하마터면 나도 오늘 이 자리에서 그 묵념을 받을 뻔했습니다."

가까워진 완치 판정

5년 만의 외출은 재미있고 만족스러웠다. 드디어 정상인이 되었다는 느낌이 들었다. 처음엔 내 표정을 이리저리 살피던 친구들이 술이 몇 순배 돌자 참았던 궁금증을 쏟아내기 시작했다. 질문의 순서와 내용도 이전에 전화로 받을 때와 거의 같았다. 난 설명했고 그들은 경청했다. 전화로 같은 말을 반복할 땐 귀찮고 다소 짜증도 났다. 그도 그럴 것이, 아무도 없는 허공만 바라보고 같은 말을 반복하다 보면 마치 내가 무슨 상담원이라도 된 것 같은 기분이 들곤 했다. 그러나 에워싼 수십 명의 시선이 일제히 나를 향한 상태에서 '처음 4기 암이란 것 알게 되었을 때 기분은 어땠나.', '항암이 힘들다던데 실제로 얼마나 힘들었나.'와 같은 질문을 받으면 분위기는 달라진다. 음! 어떤 기분이랄까. 정확한 표현인지는 모르겠으나, 어려운 수학 문제의 풀이 설명을 기다리는 학생들 앞에 선 기분이 들었다. 난 목소리를 높여가며 그동안의 일들을 얘기하기 시작했다. 처음엔 뭐 그렇게까지 궁금해할까 싶어 간단히 하고 싶었으나, 나를 바라보는 눈빛들이 간단히 끝내는 걸 허락하지 않았다. 얘기는 골수전이, 민둥산 머리, 연탄처럼 까맣게 변해버린 손발톱, 암 재발 소동 등 점점 자극적인 소재들로 옮겨갔다. 구름산을 오를 땐 '너무 힘들어 열 발짝 걷다 쉬고 스무 발짝 걷다 쉬고'라고 얘기하는 대목에선 몇몇 친구들은 고개를 떨구었다. 그렇게 나의 얘기는 밤이 깊도록 계속되고 있었다.

이튿날 아침 일찍 잠에서 깼다. 이부자리도 변변찮고 잠자리고 바뀐 탓이었다. 시골 공기를 실컷 마신 탓인지 머리도 맑고 기분도 좋앉다. 마당으로 나오니 나보다 먼저 잠이 깬 몇몇 친구들이 들마루에 올라앉아 담소를 나누고 있었다. 나는 그들에게 다른 친구들이 일어날 때까지 뒷산에 올라갔다 오자고 제안했다.

어제저녁 시간을 돌아보니 모든 것이 좋았는데 특히 음식이 맘에 들었다. 난 사실 그때까지 외부 식당에서의 육류는 거의 먹지 않았다. 단백질 섭취를 위해 육류를 먹을 때는 항상 집에서 지방이 거의 없는 살코기만 먹었다. 그런데 어제저녁 만찬에는 불에 굽는 삼겹살뿐만 아니라 기름이 쫙 빠진 보쌈도 나왔다. 이건 필시 누군가가 나를 위해 세심한 배려를 베풀었음에 틀림이 없었다. 조심스러워 누가 음식을 준비했는지는 묻지 않았으나, 그 누군가에게 고마움을 느끼며 5년 만에 집 밖 고기에 처음으로 젓가락을 가져갔다. 그러나 딱 한 가지, 지난 5년 동안 하루도 거르지 않았던 구름산 등산을 못한 것이 마음에 걸렸다.

뒷산은 그리 멀지 않았다. 트랙터 한 대 정도 지나갈 수 있는 농로가 있었으나 우린 좁은 밭둑길을 택했다. 고구마밭, 고추밭, 대파밭이 차례로 나타났다 멀어졌다. 오래전 어느 날 밭에서 고구마를 캐다 말고 아픈 배를 움켜쥐고 주저앉았던 기억이 났다. 그땐 몰랐다. 한 번 주저앉은 몸을 다시 곧추세우는데 5년이란 세월이 걸린다는 사실을. 내가 태어나고 자란 곳도 농촌이라, 이른 아침부터 들에 나와 밀짚모자 눌러쓰고 밭에 엎드린 사람들의 모습을 보니까 마치 긴 여행을 마치고 고향 집으로 돌아온 기분이 들었다.

산에는 뚜렷한 등산로가 없었다. 그저 풀이 조금 덜 자란 좁고 긴 통로가 사람이 몇 번 지나간 흔적임을 알려주고 있었다. 하기야 산 허리춤에 자리 잡은 시골 마을 골목길이나, 논둑길 밭둑길을 걷는 것 자체가 바로 등산이고 운동인데 굳이 수풀 무성한 산에 길을 만들 이유도 없어 보였다.

풀이 조금 덜 자란, 그래서 등산로가 맞는지 아닌지 아리송한 통로에 접어들자 앞장선 나는 걸음을 재촉했다. 처음 오는 산이라 높이도 산세도 모르기 때문에 혹시라도 늦어지면, 펜션에 남아 있는 친구들이 우릴 기다리느라 아침 식사가 늦어질지도 몰라 그것이 걱정되었기 때문이다. 산행을 시작한 지 얼마 되지도 않았는데 뒤에서 걷는 친구들의 숨소리가 거칠어지더니 결국은 한마디씩 뱉어내기 시작했다.

"무슨 걸음이 그렇게 빨라. 너 암 환자 맞아?"

"좀 천천히 가자. 요즘 암 환자는 보약으로 치료하나 보지."

기왕 암 환자 얘기를 들었으니 나 또한 암 환자 얘기로 응수했다.

"어떻게 암 환자보다 등산을 못하나."

구름산을 하루도 빼지 않고 오르긴 했으나 항상 혼자였기에 내 체력이 어느 정도인지 그동안 가늠해 볼 기회도, 가늠해 보고 싶은 생각도 없었다. 아침에 일어나면 무조건 세수부터 하지만 그게 습관이 되었거나 관성이 붙어서지, 내가 오늘 얼마나 더 멋있어졌나를 확인하기 위해 하는 사람은 없을 것이다. 나에게 있어서 등산은 그런 것이다. 처음엔 암세포와 싸우기 위해 하루하루 처절하게 구름산 등산을 소화했지만, 어느덧 습관이 되고 관성이 붙어 마치 아침에 세수하듯 일과의 한 부분이 되었기 때문에 하는 것이지, 체력을 남들보다 반드시 더 강하게 키우기 위해 등산을 하는 것은 아니었다. 그런데 오늘 친구들과 등산하면서 처음으로 알게 되었다. 내 체력이 그들보다 비교우위에 있다는 사실을. 그들은 상상이나 할 수 있을까. 해발 237미터 높이의 야트막한 산봉우리 하나 오르는데 한때는 3시간이나 걸렸다는 사실을.

난 원래 성향이 외향적이다. 그냥 외향적이 아니라 세상에서 두 번째 가라면 서러워할 정도로 외향적이었다. 오랜 시간 동안 직장과 집, 병원, 구름산만 오가다 보니까 만나는 사람이 극히 제한적이었다. 처음엔 몸이 고달프고 기운이 없다 보니 만사가 귀찮고 누구에게 말을 건네고 싶기는커녕 나에게 말을 걸어오는 것조차 싫었다. 어떤 때는 가족한테조차도 말을 걸기 귀찮았다. 그런 기간이 지속되자 나도 모르는 사이 말수가 적어졌고 주위에는 대화할 상대가 저절로 없어졌다. 민둥산에 다시 머리카락이 자라고 기운도 어느 정도 돌아왔지만, 이미 외톨이가 되어버렸다는 생각은 좀처럼 되돌려지지 않았다. 행동도 생각도 안으로만 말려 들어가는 느낌이 들었다. 이러다가 성격마저 소심하게 변하지 않을까 걱정되었다. 어쩌면 이미 변했을지도 몰랐다.

첫 바깥나들이를 성공적으로 마무리했다는 생각은 날 흥분시키기에 충분했다. 다시 내 본래의 모습을, 내 본래의 성향을 찾은 듯했다. 내가 다시 저녁 모임에 참석하기 시작했다는 소문은 빨리 퍼졌다. 사람들은 저녁 모임에 자주 불러주었고, 난 오랜 시간이 지났는데도 잊지 않고 찾아 준 것에 감사했다. 사회생활 시간이 늘어나면서 대인관계에도 자신감이 붙었다. 비록 아직 완치 판정을 받지 않은 암 환자의 신분이지만, 어지간한 모임에선 분위기를 좌지우지하는 수준까지 올라왔다. 이 정도면 거의 옛날 모습을 찾았다고 해도 과언이 아니었다. 물론 몸 관리도 소홀히 하지 않았다. 부르는 손짓이 아무리 크게 느껴져도 일과 후 구름산 등산은 절대 거르는 일이 없었다. 모임에선 리더에 버금가는 역할을 하고, 건강 지키는 노력에도 문제가 없었으나, 한 가지 해결되지 않은 문제가 있었으니 바로 술이었다.

처음 암이 발병하고 얼떨결에 술 모임에 참석해 잔뜩 어두운 표정으로 말석에 다소곳이 앉아 있을 때가 생각났다. 그땐 모든 것이 불만이고 또 외로웠다. 어제까진 나도 저들과 다를 게 없었는데, 오늘은 저들만 저리도 즐거운 표정으로 대화하며 맘껏 술을 마시고, 왜 나만 어울리지 않게 청량음료를 홀짝이며, 그것도 모자라 마치 죄인처럼 병든 모습을 감추기에 급급해하고 있는지 생각할수록 억울했다. 사실 암에 걸렸다는 것이 죄를 지은 것은 아니다. 그러나 어찌 되었건 건강관리에 실패한 것은 사실이고, 낯익은 술자리에서 갑자기 말석으로 스스로 격리된 채 어제까지 같이 웃고 떠들던 동료나 친구들을 물끄러미 바라보고 있으면 무슨 죄를 지었는지는 모르나, 같이 어울리지 못함에서 오는 외로움만으로도 죄를 지은 것은 확실해 보였다.

남들은 모두 맥주잔이나 소주잔으로 건배를 외치는데 나만 탄산 기포가 톡톡 튀어 오르는 소다수로 건배를 한다는 게 영 맘에 차지 않았다. 원래 술자리라는 것이 같이 조금씩 취하면서 보조를 맞춰가야 그 분위기에 함께 젖어 드는 법인데, 혼자만 청량음료를 홀짝이며 남들과 같은 기분을 내겠다는 것은 거의 불가능에 가까운 일이다. 모든 모임이 다 그런 것은 아니겠지만, 내가 자주 참석하는 모임들은 어느 정도 취기가 오르면 사람들이 했던 말을 반복해서 말하는 버릇이 있다. 사람들이 술에 취해서 자신들도 모르는 사이 같은 말을 반복할 때는, 나도 취해서 그들처럼 했던 말을 반복해줘야 정상적이고 즐거운 술자리가 되는 것이다. 남들 모두가 취기가 돌아 적당히 횡설수설할 때 나만 취하지 않고, 그들에게 지적질이나 하고 있다면 모두가 불편한 자리가 될 것이 뻔하다. 이때는 아무리 외향적인 성격을 타고났어도 소용이 없다.

여러 날을 생각한 끝에 생각해 낸 것이 알코올이 없는 맥주를 미리 준비해 두는 것이었다. 알코올이 없으니 취할 수는 없다. 그러나 적어도 색과 맛과 거품까지 일반 맥주와 다를 바가 없으니 모두가 건배할 때 혼자 공기 방울 튀어 오르는 청량음료를 치켜들어야 하는 모습은 보이지 않아도 된다. 이후 모임에 참석할 때는 알코올이 없는 맥주 캔 서너 개씩을 준비해 갔다. 눈치 빠른 친구들은 내 술잔에는 꼭 알코올 없는 맥주를 채워주면서도 마치 일반 맥주를 따르는 것처럼 너스레를 떨었다. 나 또한 그들의 너스레에 화답하기 위해 과장된 행동을 해야 하는 어색함은 있었지만, 그나마 맥주 마시는 기분이라도 낼 수 있는 것에 감사해야 했다.

술을 안 마신 지 여러 해가 지났으나 수십 년간 뇌리에 박힌 술맛과 술자리 분위기를 어찌 잊을 수가 있을까. 건강을 다시 찾은 것에 일단 감사하고 1년 뒤 완치 판정을 받게 될 때 다시 술 마시는 기분과 광경을 아내 몰래 상상 해 본다.

다시 찾은 자유인

　의사 선생님이 얘기 한 1년이 지났다. 작년 이맘때 했던 검사 결과가 나오는 날이다. 선생님은 그때, 오늘이 마지막 병원행이 될 수도 있다고 얘기했다. 더 이상 병원에 가지 않는다는 얘기는 검사 결과에 별 이상이 없으면 오늘 완치 판정을 내려 준다는 얘기였다.

　완치 판정! 암 환자에게 이보다 더 기쁜 소식은 없을 것이다. 사람들은 암에 걸렸다는 소식을 들으면 가장 먼저 완치 가능성에 온 신경을 집중시킨다. 나처럼 병기가 4기라는 판정을 듣는 날에는, 완치는 언감생심이고 앞으로 5년 만이라도 살아 있을 수 있다면 다행이라고 생각하는 사람들도 있다.

　어쩌면 내 몸속에 있던 암세포가 진작에 완전히 사라졌을 수도 있다. 그러나 지난 수년 동안 나의 건강 상태가 희망적인지 절망적인지의 판단을 위해, 오로지 의사 선생님의 입만 쳐다보는 것이 습관이 되어버린 터라, 선생님께서 완치되었다고 얘기하기 전까지는 그 어떤 확신도 서지 않았다.

　어제는 잠을 거의 이룰 수 없었다. 처음 4기라는 말을 들었을 때가 생각났다. 완치 확률을 알아보려고 이 사람 저 사람 붙들고 물어봤다. 경험 많은 간호사나 의사조차 난색을 보일 때는, 도대체 확률이 얼마나 낮길래 진실을 말하는 것을 저렇게 부담스러워할까 생각하니 살아 있다는 것이 저주스러웠다. 종일 불안에 떨다 잠자리에 들 때면, 제발 내일 아침에 잠에서 깨지 말고 그냥 영원히 잠들어 있기를 기도했다. 그냥 이 모든 것이 한바탕 악몽으로 끝나면 얼마나 좋을까 하고 생각하기도 했다.

4기라는 말보다 골수에 전이되었다는 말이 더 싫었다. 머릿속에는 '골수 전이'라는 네 글자가 진드기처럼 들러붙어 밤낮을 가리지 않고 생각나게 했다. 어떻게든 그 말을 입에 올리는 것을 피했으나, 어쩔 수 없이 그 네 글자를 입에 올리거나 듣게 될 때는 종일토록 인상이 구겨져 있기 일쑤였다. 현재 내 얼굴에 있는 주름 대부분이 아마 그 때 생기지 않았을까 여겨진다.

병원 가는 날 아침이 오늘처럼 한가한 적이 없었다. 지금까지는 병원에 가서 하는 일이 크게 두 가지였다. 하나는 치료받거나 검사를 하는 것이고 다른 하나는 직전에 했던 치료나 검사 결과를 받아보는 것이었다. 치료받을 때는 생각만 해도 토가 나오는 항암과 대장내시경을 함께 했었는데 항암이 워낙 힘들다 보니까 대장내시경은 그냥 곁가지에 불과했었다. 그러다 항암이 끝나고 3개월 간격으로 대장내시경만 한다는 말을 들었을 때는 대장내시경을 매일 이라도 할 수 있을 것 같았다. 처음엔 그렇게 만만하던 대장내시경이 시간이 지나면서 점점 부담으로 느껴지더니 병원 가는 날이 코앞으로 다가오면 머릿속은 온통 들통의 물 마시는 걱정으로 가득 차올랐다. 병원 가는 간격이 3개월에서 6개월로, 그리고 1년으로 벌어졌으나 병원에 갈 때마다 대장내시경 검사를 해야 했기에 그 검사의 걱정으로부터 완전히 해방된 적은 한 번도 없었다. 따라서 지금까지는 병원에 간다는 것은 곧 대장내시경 검사를 한다는 얘기였고, 따라서 새벽부터 그 준비를 하느라 화장실을 쉴새 없이 들락거려야 했다.

그러나 오늘은 그냥 지난번 검사 결과만 보는 날이고, 어떤 검사도 예정되어 있지 않았다. 그리고 더 이상 병원에 오지 말라는 말을 들을 것이기 때문에 새벽에 눈을 떴으나 특별히 할 일이 없었다. 뭔가 마땅히 해야 할 일을 하지 않고 있는 것 같아 불안한 생각마저 들었다.

안양 천변의 개나리꽃은 약속이나 한 듯 1년 전 그 자리에 피어 있었다. 오늘 완치 판정을 받는다면 딱 하나, 이곳 개나리꽃을 내년부터 보지 못할지도 모른다는 사실만 아쉬움으로 남았다. 저 꽃이 필 때면 항상 병원을 향하고 있었기에 샛노란 꽃잎들을 바라볼 때도 불안한 아름다움으로 다가왔었다. 더 이상 병원에 오지 말라는 말을 오늘 듣게 되더라도 내년 이맘때가 되면 이곳을 찾아야겠다. 그때는 천천히 걸으며 꽃잎 하나 하나에게 눈길을 줘야겠다. 그리고 한 치 앞이 보이지 않던 엄혹한 시절에도 때만 되면 정확히 피어나던 너희 꽃잎들이 나에게 얼마나 큰 용기를 주고 위안이 되었는지 얘기해 줘야겠다.

의사 선생님의 말씀은 예상대로였다.

"그동안 고생 많았습니다. 다음부턴 병원에 오지 않으셔도 됩니다."

완치되었다고 공식적으로 확인을 받은 것이다. 오래전부터 예상했기에 완치 판정 얘기를 들어도 그냥 무덤덤한 기분일 줄로만 알았다. 그러나 막상 공식적인 확인을 받는 순간 만감이 교차했다. 치료해주셔서 감사드린다는 말을 남기고 진료실을 나서는데, 다른 환자들이 간호사와 다음 일정을 잡고 약에 대해 주의 사항을 듣는 등 분주한 모습이 눈에 들어왔다. 바로 작년까지의 내 모습이었다. 검사 예약도, 외래진료 날짜 잡는 것도 할 필요가 없어진 나는, 약간의 허탈감마저 느끼며 바로 나오지 못하고 빵모자 눌러쓴 환자들로 북적이는 대기실 의자에 털썩 앉았다. 돌아보니 더 이상 오지 않아도 된다는 한마디 말을 듣는데 6년이 넘는 시간이 걸렸다. 한때는 한 발 들여놓기가 호랑이 굴만큼이나 싫던 이곳이었다. 그런데 그동안 드나들면서 정이라도 들었는지, 이제는 오지 말라는 말에 가슴 한쪽이 텅 비는 것 같았다.

저쪽 구석에는 올 때마다 행여 몸무게가 줄지나 않았을까 노심초사하며 신발 벗고 올라갔던 체중계가 아직도 자리를 지키고 있고, 출입문 앞 혈압계 앞에는 오늘도 몇몇이 서서 순서를 기다리고 있었다. 다시 고개를 돌려 정면에 걸린 전광판을 쳐다봤다. 항암을 할 때나 중간 검사 결과를 기다릴 때, 저 전광판 순서에 내 이름이 올라오면 '드디어 올 것이 왔구나' 여기며 한칸 한칸 순서가 바뀌는 모습에 눈을 떼지 못했다. 중간 검사 결과 때는 전광판에 내 이름이 올라오자 얼마나 긴장했는지 오 분마다 화장실에 갔던 기억이 났다. 마지막으로 메인 데스크에서 환자들과 열심히 대화를 주고받는 간호사들을 물끄러미 지켜봤다. 기억을 더듬어 보니 저들은 지난 시간 동안 나와 대화하면서 단 한 번도 목소리를 높이거나 옅은 미소를 띠지 않은 적이 없었다. 모든 간호사가 천사는 아닐 것이다. 그러나 오늘 내 눈에 비친 저들은 세상에서 가장 아름다운 천사들임에 틀림이 없다.

병원에 다시 오지 말라는 말은 이제 아쉬움을 넘어 미련의 단계로 접어들고 있었다. 병원 이곳저곳을 둘러보고 싶었다. 사실 이 병원 구석구석을 가 보지 않은 데가 없다. 4기 판정을 받던 날 어디에도 마음 붙일 곳이 없어, 밤을 꼴딱 새워가며 병원 이곳저곳을 마치 몽유병 환자처럼 돌아다녔다. 오늘은 이렇게나 넓은 병원이 그날 밤은 어찌나 답답하던지 병원 밖으로 뛰쳐나가 고래고래 소리 지르고 싶었던 것을 억지로 참았었다. 그날 밤에 보았던 어둡고 우울한 모습이 아니라 나를 다시 웃게 만든 밝고 쾌활한 모습을 보고 싶었다.

맨 먼저 항암 실을 올라 가 보고 싶었으나 그곳만은 다시 볼 용기가 나지 않아 포기했다. 다양한 음식점과 각종 편의 시설이 모여 있는 지하 1층으로 발길을 돌렸다. 한 번은 오후에 있을 항암을 앞두고 점심을 먹기 위해 이곳 음식점에 들른 적이 있었다. 긴장과 걱정으로 점철된 얼굴을 한 채 점심을 먹는 둥 마는 둥 하고 있는데, 바로 옆 테이블에서 흰 가운을 입은 의사와 간호사로 보이는 의료진 몇 명이 식사하고 있는 모습이 눈에 들어왔다. 건강한 모습으로 맛있게 식사하는 의료진 옆에 하필이면 비루한 모습의 환자가 나란히 앉아 저절로 비교되고 있다고 생각하니 참담한 기분에 어깨가 내려앉는 것 같았다. 그땐 이 지하 복도가 무감각할 정도로 넓게 느껴졌었다. 대로의 이정표처럼 별 느낌 없이 매달린 음식점 간판들과 그 사이를 무표정한 얼굴로 바삐 움직이는 사람들, 누구 하나 날 바라봐 주지 않은 황량한 곳에 한참씩이나 우두커니 서 있다 보면 외로움은 가시가 되어 박히곤 했다.

그러나 오늘 다시 본 이 복도는 전혀 다른 모습이다. 이렇게 아늑하고 포근한 골목길이 또 있을까. 매달린 음식점 간판들은 자세를 한껏 낮추고 자기네 집으로 오라며 새하얀 이를 드러낸 채 함박웃음을 짓고 있고, 어깨가 닿는 사람마다 축하한다는 한마디씩을 남기고 지나갔다.

그렇게 마실을 걷다 어느 한 곳에 이르자 나도 모르게 발길이 멈춰졌다. 통유리 너머로 발 마사지를 하는 모습이 눈에 들어왔다. 오래전, 무말랭이처럼 볼품없던 내 발을 한쪽 무릎을 꿇은 채 정성을 다해 주물러주던 스무 살 남짓으로 보이던 청년은 보이지 않았다. 오늘 만일 그 청년이 저 통유리 너머로 보였다면 난 문을 열고 들어가서 다짜고짜 그를 자리에 앉히고 그의 발을 주물러주었을 것이다. 그리고 어리둥절해하는 그에게 얘기했을 것이다. 당신은 기억 못할지 모르지만, 흑마늘처럼 까맣게 변해버린 내 발가락 하나하나를 소중히 어루만지던 당신 모습은 내 기억 속에 영원히 남아 있을 거라고.

갑자기 지하 1층 복도가, 이 골목이 위대해 보이기 시작했다. 앞으로 어떤 세파가 닥쳐도 이곳 사람들은 환자들과 애환을 함께 하며 꿋꿋이 자리를 지켜나갈 것이다. 뭉클해진 마음으로 이곳저곳을 둘러보고 있노라니 어설픈 감상 따위로는 감히 범접할 수 없는 도도한 기품 같은 것이 느껴졌다.